Zéro Toxique

Marc Geet Éthier

Zéro Toxique
Pourquoi et comment se protéger

Catalogage avant publication de Bibliothèque et Archives Canada

Geet Éthier, M. (Marc)
Zéro toxique : pourquoi et comment se protéger
ISBN 2-89568-258-5
1. Substances dangereuses – Aspect sanitaire. 2. Substances dangereuses –Aspect de l'environnement. 3. Hygiène du milieu. 4. Maladies de l'environnement – Prévention. 5. Pollution – Prévention. I. Titre.

RA565.G43 2005 363.17'6 C2005-940285-7

Nous reconnaissons l'aide financière du gouvernement du Canada par l'entremise du Programme d'Aide au Développement de l'Industrie de l'Édition pour nos activités d'édition.

Mise en pages : Claude Bergeron
Couverture : Kuizin communication studio
Révision : Nathalie Guillet, Michèle Constantineau et Céline Bouchard
Correction d'épreuves : Pascale Jeanpierre

ISBN : 2-89568-258-5
Dépot légal - 2005
Bibliothèque nationale du Québec

Imprimé au Canada

Éditions du Trécarré
7, chemin Bates, Outremont (Québec) H2V 4V7 Canada

À Jacques, mon père, avec toute mon affection et mes pensées durant ce long périple vers le repos de l'esprit avant celui du corps.

À Gilberte, ma mère, avec toute mon affection et ma complicité pour sa passion d'iconographe (www.massicotte-ethier.ca).

Table des matières

Deuxième partie
LES SOLUTIONS ZÉROTOXIQUE

Remerciements

Un livre comme celui-ci se nourrit d'innombrables complicités.

Merci à Satyam Archambault, pour avoir donné l'élan initial à cet essai et contribué à l'éclaircissement des notions de principe du cobaye et de révolution bleue.

Merci aux magazines *Protégez-vous* et *Consumer Reports*, à l'Environmental Working Group (EWG), à la Fondation David Suzuki, à l'équipe Environnement du journal *La Presse*, pour leur travail de déblayage et de cueillette d'information inestimable. Merci aussi à Greenpeace Québec et Équiterre pour leur façon d'appeler un chat, un chat. Tous constituent l'avant-garde de cette révolution bleue qui, seule, saura nous assurer un mode de vie durable. Offrons-leur notre appui citoyen, qu'ils continuent de nous étonner.

Merci à Celia Sayers, de la Maison Verte, commerce de produits nettoyants verts, pour ses précieuses indications sur les nettoyants verts à Montréal.

Merci à Premo, complice de longue date et maître anti-procrastination. Merci à Diane Petit et Brigitte Maheux, pour les coups de pouce et conseils ingénieux. Merci à Louise Dupaul, pour les petits-déjeuners réconfortants. Et merci aux cuisiniers du 7 Jours, pour les rires et la confection des déjeuners.

Merci à Gérald Lafleur, Ph. D., pour la complicité et le cadre intellectuel.

Merci à Germain Drouin, pour son temps précieux.

Merci à Henriette, Raymonde et JPD, triumvirat des pensées attentives. Merci à Pierre, pour les BFJ. Et merci à ma parenté pour sa patience et ses encouragements : un tel travail ne peut naître en conditions d'apesanteur.

Merci à l'équipe allumée des Éditions du Trécarré. Mon expérience d'auteur m'avait déjà mis en contact avec un éditeur sympathique et une éditrice dévouée. Avec Martin Balthazar, mon éditeur pour *Zéro Toxique*, j'ai eu le plaisir de rencontrer une intelligence et une passion en phase avec notre époque. Merci aussi à l'équipe, et plus précisément à Nathalie Guillet pour la patiente révision du contenu et Céline Bouchard pour la correction soignée.

Enfin, merci aux amis, pour la joie partagée. Joie dont l'esprit moderne, bétonné dans ses certitudes trop souvent infirmes, ne soupçonne même plus les bonheurs. Joie qui reste, toujours, le premier défi.

Notes

Le terme *cancérogène* est utilisé préférablement aux termes *cancérigène* et *carcinogène*, à la suggestion du *Grand Dictionnaire terminologique* de l'Office de la langue française.

Le terme *États-Unien* est utilisé en lieu et place du terme *Américain*, trop imprécis pour distinguer ce qui concerne les États-Unis de ce qui concerne l'ensemble des Nord-Américains – à la suggestion du *Grand Dictionnaire terminologique* de l'Office de la langue française, qui spécifie que son usage « peut se justifier pour désigner ce qui est relatif aux États-Unis d'Amérique ». Le dictionnaire précise que l'on trouve également « les variantes sans trait d'union et en un seul mot étasunien et étatsunien. » L'adoption de ces variantes a semblé précipitée dans le cadre du présent texte, malgré « la tendance à la simplification de l'orthographe française » citée par le *Grand Dictionnaire*.

Le texte de cet essai repose sur une quantité énorme d'études scientifiques. Or c'est un ouvrage de vulgarisation qui veut préserver une certaine fluidité de lecture, afin de demeurer accessible au plus grand nombre.

Un choix a été fait de ne donner que de brèves références pour les études les plus décisives. Auteurs et année de publication sont données, qui permettent aux chercheurs intéressés de retracer facilement les textes d'origine à l'aide de ces instruments merveilleux que sont les moteurs de recherche sur Internet. Il s'agit d'un choix, avec ses avantages et ses inconvénients, que l'auteur assume consciemment. La révision du texte a permis de repérer les principales études qui exigeaient l'inscription d'une référence.

La bibliographie offre par ailleurs les données sur les livres de référence.

Les nettoyants recommandés dans la section sur l'entretien donnent d'excellents repères, mais leur liste ne saurait être exhaustive. De nouveaux produits apparaissent constamment et d'autres ont pu échapper au repérage. Les critères de choix sont donc tout aussi importants que les marques suggérées.

Introduction

LE PRINCIPE DU COBAYE

L'industrie chimique teste ses produits
sur la population.
En cas de problème, elle refile la facture
aux gouvernements.

Des lois toxiques

Il existe une méfiance assez généralisée dans la population pour tout ce qui est « chimique », une méfiance similaire à celle que subissent déjà les agriculteurs et, surtout, les propriétaires de porcheries. Que s'est-il donc passé pour que le génie chimique, un des fleurons de l'ingéniosité humaine, en vienne à inspirer de pareils sentiments ?

Ne lui devons-nous pas d'innombrables trouvailles ? Ce vêtement performant – imperméable, antitaches et anti-moisissures – pour la pratique des activités de plein air. Le bois qui ne pourrit pas sous les intempéries.

La bourre des canapés traitée pour ne pas s'enflammer. Les aliments qui nous arrivent du bout du monde, tout frais, tout beaux. Et ces multiples nettoyants miracle qui détachent, bichonnent et embaument aux quatre coins de la maison.

En réalité, les prouesses du génie chimique tiennent en un chiffre : 75 000, soit le nombre des substances créées en Amérique du Nord durant la révolution chimique des cinquante dernières années.

Or, de nombreuses études scientifiques et maintes enquêtes journalistiques ne cessent de répéter que l'innocuité de la plupart de ces substances n'a jamais été clairement établie. Et la recherche toute récente les a retrouvées par centaines dans nos corps, comme l'explique l'état des lieux dressé dans la première partie de ce livre.

Ces substances ne sont pas anodines. Elles sont reliées par la recherche à la majorité des troubles chroniques qui ont remplacé les maladies infectieuses au premier rang des causes de décès. Sept décès sur dix sont aujourd'hui causés par les troubles chroniques, troubles que les systèmes de santé des pays industrialisés se ruinent à tenter de soigner.

On a déjà vu la médecine moderne être radicalement transformée par les succès de la chirurgie puis des antibiotiques. Une troisième vague de la médecine est aujourd'hui devenue indispensable pour vaincre les troubles chroniques omniprésents : l'écosanté – la protection du corps contre les pollutions chimiques dans l'environnement qui le contaminent jusqu'à le rendre malade.

Bonne nouvelle : la population a le pouvoir d'agir sans tarder pour se protéger, avec les solutions ZéroTOXIQUE rassemblées dans la seconde partie de ce livre à partir de ce que la recherche a déjà compris.

L'écosanté aura fort à faire pour prévaloir, puisque la loi elle-même en est venue à privilégier la santé industrielle à courte vue au détriment de la santé publique.

Or un choix de plus en plus clair se dessine : médicaliser la vie ou écologiser l'économie.

Trois cents millions de paranoïaques

Le simple bon sens nous dit qu'une substance que l'on considère à risque ne devrait jamais être utilisée avant que son fabricant ait clairement démontré son innocuité. Même chose pour les substances qui n'ont pas encore fait l'objet de suffisamment de tests. Il s'agit là de précautions élémentaires et évidentes.

Pourtant, une étude attentive de la question oblige à conclure que bon sens et précaution ne sont ni des évidences ni des priorités pour l'industrie chimique nord-américaine et nos gouvernements. Avant d'agir, les gouvernements attendent d'avoir des preuves en béton sur la nocivité d'une substance. La possibilité ou la probabilité ne suffisent pas. Pire, la loi est ainsi faite que le fardeau de la preuve repose sur les chercheurs, indépendants ou gouvernementaux, sous-financés face à l'immensité de la tâche : l'étude typique se termine avec le vœu, pieux, de voir des recherches supplémentaires terminer la tâche. Avec la multiplication des substances depuis cinquante ans, un retard impossible à rattraper a été pris dans l'évaluation de la sécurité des produits utilisés un peu partout. De l'avis d'un nombre croissant de chercheurs, notre santé en fait les frais.

Pareilles affirmations semblent à première vue inspirées par une sorte de paranoïa. Pourtant la Communauté européenne les prend suffisamment au sérieux pour avoir décidé, en octobre 2003, de réévaluer chacune des 30 000 substances dont le volume utilisé annuellement dépasse les 1 000 kg. On parle ici du fonds de commerce de l'industrie. Ces substances se retrouvent dans la majeure partie des produits de consommation courante. Accepter ces affirmations nous range donc dans le camp des 300 millions d'Européens qui y croient. Ce qui commence à faire beaucoup de « paranoïaques ». Pouvons-nous penser qu'il y a quelque chose qui ne tourne pas rond au royaume de l'industrie chimique nord-américaine ? Et que le temps est venu d'en parler ?

Les substances découvertes depuis l'après-guerre ont été utilisées dès leur création afin de profiter sans tarder de la commodité qu'elles offraient et du profit qu'elles généraient. Dans ce contexte, il était hors de question de s'interroger sur leur sécurité ou même de spéculer sur les éventuels effets sur la santé et l'environnement. Si bien que certaines substances ont été si peu étudiées qu'il n'existe même pas d'information publique sur leur origine.

On commence tout juste à étudier le danger posé à long terme par les quantités minimales des substances chimiques trouvées dans les corps. Et on n'a pas encore commencé à étudier l'impact du croisement et de l'accumulation des multiples combinaisons de substances sur les mécanismes délicats du corps. Mais rien de tout cela n'arrête la création de nouvelles substances.

La méfiance de la population envers les produits chimiques vient de ce qu'elle se trouve aujourd'hui plongée dans une soupe de milliers de substances dont on est en train d'étudier les risques à ses dépens. Or personne n'a signé de contrat pour participer, au prix de sa santé, à l'étude de ces substances parfois à tout le moins douteuses... L'industrie nord-américaine s'entête à fonctionner selon le principe du cobaye alors qu'au même moment la Communauté européenne fait le choix du principe de précaution.

Un exemple parmi d'autres du chaos qui règne dans ce domaine : le bois traité à l'ACC (arséniate de cuivre chromaté), pourtant jugé assez dangereux pour être déconseillé par la très sérieuse Société canadienne du cancer, a été autorisé jusqu'en 2004 par Santé Canada et vendu en quincaillerie. Qui a raison ? Comment en juger ? Avec quoi terminera-t-on notre balcon ? Que faire de celui qui a été bâti avec le bois ACC ?

Un traité universitaire franco-québécois tout récent (*Environnement et santé publique*. Montréal, Edisem, 2003), fait le constat suivant à propos de l'impact que peuvent avoir les substances chimiques sur notre santé : « Certains contaminants chimiques sont rarement associés à des épidémies ou à des cas d'intoxication alimentaire individuelle. Il serait dangereux de conclure que ces contaminants, souvent retrouvés avec des techniques analytiques très sensibles à l'état de traces mesurées en ppm, ppb ou même ppt [partie par million, partie par billion, partie par trillion], ne représentent aucun danger pour la santé des consommateurs. En effet, on sait que, pour les produits de synthèse, les effets que l'on doit le plus redouter sont de nature chronique : cancers, maladies neurologiques dégénératives ou atteintes du système immunitaire. [...] [Le] danger des résidus chimiques existe, [...] la prévention de maladies de type chronique doit faire partie de nos préoccupations. »

Les substances chimiques voyagent et on peut les retrouver aujourd'hui dans tous les écosystèmes de la planète, à des milliers de kilomètres de leur origine. Les ours polaires, à titre d'exemple, démontrent une contamination élevée à divers produits, dont les BPC (biphéryle polychloré), des polluants persistants pourtant interdits depuis des années mais qui ont voyagé depuis le sud par les courants marins et atmosphériques. Comment s'en étonner quand on sait que, selon des estimés récents, la pollution provenant d'Asie – surtout celle de Chine – constitue, certains jours de l'année, jusqu'à 50 % de la pollution de l'air en Colombie-Britannique et dans les États de Washington et de l'Oregon ?

Le niveau de la plupart des polluants de l'air à l'intérieur de nos résidences est souvent très supérieur à celui que l'on observe à l'extérieur. Et nous passons 90 % de notre temps à l'intérieur. Une étude du National Cancer Institute (1998), visant à évaluer les risques de cancer liés à la présence de pesticides dans la poussière des résidences de la région de Washington, a trouvé 31 résidus de produits chimiques dont ceux des pesticides les plus toxiques. La plupart des résidus sont en quantités minimales, mais on ne sait rien de leurs effets cumulatifs et croisés.

Un des résultats concrets de l'omniprésence des substances à risque est que nous sommes en train de perdre la lutte contre le cancer, conclut une étude détonnante (Chernomas, Donner, 2004). Nous ne gagnerons la lutte au cancer, conclut la recherche, que si recherche et prévention sont réorientées pour nous protéger contre la pollution chimique de nos corps. Un relevé de l'impact délétère de nombreuses substances est donné pour appuyer cette conclusion.

En cela, le Canada n'est pas un cas unique parmi les pays industrialisés : « En France, [le] nombre [des cancers] a doublé depuis la Seconde Guerre mondiale, et ils font 150 000 morts par an, devenant ainsi la première cause de mortalité des moins de 65 ans. Or, si le tabac est responsable de 30 000 d'entre eux, les quatre cinquièmes sont massivement imputables à la pollution de l'air, de l'eau et de nos aliments, bourrés de pesticides, de nitrates et de dioxines », précise Dominique Belpomme (*Ces maladies créées par l'homme.* Paris, Albin Michel, février 2004), un des plus éminents cancérologues français, président de l'Association pour la recherche thérapeutique anti-cancéreuse (Artac) et expert auprès de la Commission européenne et fondateur du plan Cancer lancé par le président français Jacques Chirac.

Dérapage non contrôlé

La menace posée par le dérapage de la révolution chimique est-elle inéluctable pour autant ? Pas si on se décide à reprendre le contrôle sans tarder. Et nombreux sont les gestes qui peuvent faire une différence : gestes personnels et gestes politiques.

Le présent essai, qui se veut aussi pratique, veut relever le défi de rassembler les solutions proposées de façon disparate par la recherche. Le but est de faciliter la tâche autrement trop complexe de se protéger, et de s'assurer que les efforts seront secondés par la science. Une attention particulière a même été portée aux multiples tâches de l'entretien du logis. En effet, les produits et procédés que nous utilisons affectent significativement la salubrité de nos maisons. L'accent a été placé sur tout ce qui peut faciliter la vie tout en la protégeant, en pensant de façon spéciale aux jeunes enfants, groupe particulièrement fragile.

Orientés par une information claire, nos multiples achats hebdomadaires – nourriture, équipement, vêtements, entretien – peuvent constituer une arme décisive contre les pratiques fautives de l'industrie et permettent de s'organiser rapidement une zone **Zéro**TOXIQUE. Les fabricants sont affectés d'une hypersensibilité à la critique, sorte d'allergie qui peut devenir notre planche de salut. Un signe clair des consommateurs pourrait les inciter à développer des produits réellement plus sains.

La révolution environnementale est une sorte de conquête de l'or vert : la « révolution verte » est une expression qui a déjà servi à désigner le passage à des pratiques de culture intensive dans des pays comme l'Inde : elle ne peut donc servir à désigner la révolution environnementale en cours. D'ailleurs, la décontamination de l'héritage laissé par la révolution industrielle inclut l'abandon des produits toxiques utilisés en agriculture intensive.

Aussi, parce qu'il s'agit de rien de moins que de protéger des dérapages toxiques de l'industrialisation non seulement notre santé mais aussi le bleu du ciel et des mers de notre bien fragile planète, on parlera de cette révolution environnementale comme de la « révolution bleue ».

L'heure n'est plus aux tergiversations. Un progrès sans balises n'est pas un progrès : c'est un cancer insidieux. S'ils mettent en péril notre santé, la laque, la protection des tissus, le traitement du bois ou le débouche-tuyaux ne présentent aucun avantage réel.

Révolution bleue et conquête de l'or vert sont aussi passionnantes que la conquête de l'espace, du Nouveau Monde ou de la modernité. Le génie humain nous a fait bénéficier des innombrables avantages de la révolution chimique des cinquante dernières années. Le temps est venu de mettre ce génie au service de la planète et du mieux-être de ses habitants en rendant sécuritaires l'ensemble de ces avancées.

La méfiance légitime de la population pour le chimique ne se dissipera que lorsque les gouvernements d'Amérique du Nord auront accepté d'intégrer, dans la loi, les précautions que requiert la gestion des substances douteuses que sont tous les produits chimiques. On peut facilement être tentés de croire que l'arme chimique de destruction massive la plus dangereuse à l'heure qu'il est se trouve entre les mains de l'industrie du même nom plutôt que dans quelque pays lointain. L'industrie chimique n'a-t-elle pas relâché dans l'environnement, durant ce demi-siècle, une bombe de 75 000 substances à peine testées ? Les gestionnaires de l'industrie et des gouvernements ont désormais l'obligation de passer en mode dérapage contrôlé.

Seule la confusion engendrée par la multiplicité des substances, de leurs noms, de leurs effets et des lois sensées les encadrer permet à l'insidieux laisser-aller actuel de perdurer. Le portrait d'ensemble est pourtant clair : nos corps sont chimiquement pollués, et cette pollution est déjà reliée à une part importante des maladies incapacitantes et mortelles que sont les troubles chroniques. Un parti pris de précaution clair et franc sera indispensable pour départager clairement ce qui représente une menace de ce qui est sain.

La solution ZéroTOXIQUE consiste donc à créer une zone de précaution autour de son logis en achetant des produits sans danger – pendant leur fabrication, leur utilisation et leur élimination. Elle consiste en même temps à exiger des gouvernements une précaution que le simple sens commun aurait dû leur dicter depuis longtemps : dans le doute, mieux vaut s'abstenir d'utiliser les substances à risque.

La solution ZéroTOXIQUE est une révolution qui va transformer la majorité des produits que nous utilisons au quotidien. La beauté de la chose est que le temps est propice pour le changement. L'Europe est en train de le faire, pourquoi pas nous ?

Les pages suivantes tentent d'expliquer comment y parvenir. On y parlera des écrits récents sur la nature de ce que l'on appelle maintenant la soupe chimique corporelle, ou l'ensemble des substances chimiques retrouvées dans le corps ; sur le danger qu'elle pose ; sur le contexte qui l'a vue naître ; sur les gestes concrets que nous devons faire pour assurer notre protection contre les troubles chroniques qui menacent déjà les finances des pays industrialisés.

Première partie
DÉRAPAGES
D'UNE RÉVOLUTION

Nos corps deviennent
des sites contaminés.

Chapitre 1

LES DANGERS MASQUÉS

Menu : soupe chimique corporelle

En janvier 2003, paraissaient les résultats d'une des premières évaluations de la « soupe chimique corporelle » de la population. Pour désigner les substances polluantes emmagasinées dans l'organisme de tout un chacun, la recherche parle plus précisément de « charge chimique corporelle ». Une telle évaluation allait permettre de constater l'impact, significatif ou non, de la diffusion dans l'environnement des 75 000 substances ayant fait l'objet d'une licence au cours de la révolution chimique des cinquante dernières années.

L'analyse a été menée auprès de neuf personnalités bien connues par un groupe de pression américain, le Environmental Working Group (EWG). Faute de moyens, il n'a été possible de vérifier la présence que de 210 substances parmi les 75 000 enregistrées. Nous n'en sommes qu'au tout début de telles évaluations.

L'étude du EWG a révélé la présence de 59 substances reliées au cancer dans l'organisme d'Andrea Martin, une femme de cinquante-six ans. Elle se demande aujourd'hui si la présence de ces substances a un lien avec le cancer du sein auquel elle a survécu.

Michael Lerner, une autre des neuf personnalités, a quant à lui découvert qu'il était porteur d'un taux élevé d'arsenic et de mercure. Or, la recherche relie ces substances à des tremblements corporels, ce qui expliquerait enfin le tremblement des mains qui l'affecte depuis quelques années. La recherche relie aussi le mercure à des pertes de mémoire, ce qui expliquerait la baisse accélérée de mémoire que Lerner avait lui-même constaté.

Le réputé journaliste américain Bill Moyers a appris qu'il était porteur de substances à risque toujours utilisées (dioxine, phtalates) aussi bien que de substances interdites depuis un quart de siècle (DDT, BPC).

En moyenne, chacun des neuf participants était porteur de 91 polluants, soit 43 % des 210 substances évaluées. Leurs soupes chimiques respectives contenaient en moyenne 53 substances cancérogènes, 62 substances toxiques pour le système nerveux et 55 substances toxiques pour le système reproducteur. « Les niveaux courants normaux de dioxine et de nombreux autres organochlorés analysés chez les humains approchent ou atteignent le niveau associé à l'apparition d'effets toxiques chez les animaux de laboratoire. » Tel a été le commentaire sur l'étude du Dr Michael McCally, directeur de la recherche au Mount Sinai School of Medicine.

Le Central for Disease Control des États-Unis a lui-même publié une étude (CDC, 2003) qui porte sur un nombre moins grand de substances (116), mais sur un échantillon plus large de la population statistiquement significatif. Les résultats des deux études se recoupent.

Le voisinage du Canada et des États-Unis de même que l'interpénétration de leurs industries chimiques permettent de déduire que les résultats sont valables pour le Canada sans grand risque d'erreur.

Un chargé de communications pour l'Agence de réglementation de la lutte antiparasitaire (ARLA), à Santé Canada, atteste d'ailleurs de la parité Canada/États-Unis. Il affirme qu'en ce qui concerne l'indépendance du Canada, l'évaluation des substances chimiques se « fait graduellement » – euphémisme pour dire que le Canada n'a pas les moyens de son indépendance. Pour certaines substances, Santé Canada ne procède qu'à une simple harmonisation avec les recherches existantes aux États-Unis. Un but prioritaire, clairement admis, est de préserver une parité avec les États-Unis afin de ne pas pénaliser les producteurs canadiens.

En bout de ligne, la santé publique canadienne passe après celle des producteurs, sans qu'il en soit jamais fait mention.

La soupe chimique corporelle est, selon toutes les apparences, répartie avec un certain sens de la justice partout en Amérique du Nord.

Polluants itinérants : poussière d'étoiles, poussière domestique

Si l'air est le médium et la poussière le message, comme le dit joliment Hannah Holmes, il semble que le message soit polyglotte et guère réjouissant. Hannah Holmes a puisé dans la recherche de pointe en astronomie aussi bien qu'en paléontologie, en santé et en environnement, pour écrire un petit livre sur la vie secrète de la poussière (*The Secret Life of Dust.* Hannah Holmes, New York, 2001). En quelques pages, elle transforme nos perceptions fort limitées de la poussière.

Elle a découvert que la poussière n'était pas qu'une simple nuisance domestique. Sans poussière, il n'y aurait ni pluie ni vie. Tout nuage dans le ciel est une collection de particules d'eau qui ont besoin des poussières pour se condenser. Au gré des courants d'air et sans égards aucuns pour les frontières, de véritables rivières de poussière balaient en permanence l'atmosphère de la planète. D'un continent à l'autre, elles transportent les poussières des tempêtes, des volcans et des émanations végétales.

Le saviez-vous ?

Nous traînons tous un nuage de poussières personnelles – fibres textiles, squames de peau, particules ramassées au travail. Notre nuage dépose aussi ses traces partout où nous passons, c'est lui qui donne à nos logis leur odeur personnalisée.

Arbres et végétaux relâchent dans ces rivières de poussière de l'atmosphère des particules pouvant être nocives, voire toxiques. Cet apport est inévitable et ne se fait pas à grande échelle contrairement aux particules d'origine industrielle. Car aux composés naturels de la poussière itinérante s'ajoutent aujourd'hui les polluants industriels : ceux à haute concentration des pays en forte expansion comme la Chine industrielle, la Corée, la Thaïlande ou Singapour, et ceux qui appartiennent aux 75 000 substances créées durant la révolution chimique du demi-siècle dernier dans les pays industrialisés.

En 1998, on a observé une rivière de poussière saturée de polluants qui a voyagé, en deux jours, du désert de Gobi vers l'Asie, puis au-dessus du Pacifique jusqu'à Seattle, aux États-Unis. Elle s'est répandue ensuite un peu partout aux États-Unis, moins de cinq jours après avoir décollé du désert de Gobi. Cette rivière de poussière ancienne a été baptisée *Orient Express*. De nombreuses autres rivières du genre existent, comme la *Couche de poussière du Sahara,* qui voyage de l'Afrique aux Amériques et dont on remarque le passage trois fois par été aux États-Unis.

Hannah Holmes constate : « Les moutons de poussière qui s'amassent sous le canapé et derrière le réfrigérateur contiennent n'importe quoi, des diamants de l'espace à la poussière du Sahara jusqu'à des os de dinosaures et des morceaux de caoutchouc moderne pour les pneus. Mais ils contiennent aussi du plomb empoisonné et des pesticides interdits depuis longtemps, des moisissures et bactéries dangereuses, des particules de fumée causant le cancer, et un échantillon de tous les produits chimiques que nous distribuons innocemment partout dans nos logis au nom de la propreté. Le mouton de poussière est (aussi) rempli de morceaux de mites de poussière disposant aux allergies… » (*Idem*, p. 89, traduction de l'auteur.)

De nos jours, une ville n'est plus balayée par sa seule pollution. Les polluants de la vague d'industrialisation en Chine ou en Inde croisent au-dessus des océans les polluants plus avancés de la révolution chimique en Amérique et en Europe. « Il n'existe aucun *ailleurs*. Les ordures de tout le monde vont quelque part ailleurs », s'exclame, dans le livre de madame Holmes, Dan Jaffe, professeur en environnement à l'Université de Washington.

Des recherches ont établi à moins de 2,5 microns la taille des poussières les plus nocives (un cheveu mesure 100 microns). Une grande part des poussières d'origine industrielle mesurent justement moins de 2,5 microns. Pour mémoire, notons que les poussières de pesticides mesurent souvent de 0,5 à 10 microns. Les plus petites poussières des émissions de véhicules automobiles mesurent environ 0,05 micron. Les perles formées lorsque les gaz de la pollution se condensent dans les airs mesurent aussi environ 0,05 micron.

On sait maintenant que seule une petite part de la poussière domestique est constituée de substances chimiques toxiques, mais que ces substances sont très puissantes. Formaldéhyde contenu dans la structure en panneaux de particules des canapés, perchloréthylène utilisé pour le nettoyage à sec, paradichlorobenzène des boules antimites, pesticides en poudre contre les puces, les rongeurs et les termites, toutes ces substances débarquent en force pour soumettre nos corps à leurs impacts cumulatifs et croisés.

S'ajoutent les substances mutagènes produites par la cuisson intensive des viandes – à trop haute température et trop longtemps – qui adhèrent en majorité à l'aliment, le reste étant relâché dans l'air avec la fumée. Lorsqu'elles sont surchauffées, certaines huiles végétales peuvent aussi émettre de ces mutagènes capables de produire des modifications génétiques chez les organismes vivants.

Les rafraîchisseurs d'air avec leurs parfums de synthèse douteux et leurs substances conçues pour anesthésier le nez s'ajoutent aux polluants du logis en se logeant à demeure dans les tapis, les murs et les finis poreux.

« [Une] fois que ces substances sont à l'intérieur, nos logis se comportent comme des sortes de réserves à pollution. Certains des poisons, s'ils étaient laissés à l'extérieur dans la nature, se désagrégeraient. Mais le monde intérieur est un havre de paix, dans lequel un véritable zoo de substances chimiques s'abrite loin de l'hostilité de la nature. » (*Idem*, p. 177, traduction de l'auteur.)

C'est au début des années 1990 que la Environmental Protection Agency (EPA) américaine annonçait que l'air des logis était plus pollué que l'air extérieur, au point de constituer une des cinq menaces environnementales les plus grandes pour la santé. La EPA pointe du doigt le couple toxique formé par l'étanchéité des logis et les substances chimiques.

Comme bien des hommes « statistiquement normaux », le chercheur américain Paul Lioy n'avait « jamais, mais jamais coutume de penser à la poussière – jamais ! » (*Idem*, p. 176, traduction de l'auteur.) Il aura fallu sa participation à la décontamination d'un site d'enfouissement pour le chrome. En moins d'une année, le nettoyage du site avait entraîné la disparition du chrome que l'on retrouvait jusqu'alors dans la poussière d'une résidence témoin.

Lioy a alors pu constater que la plupart des poussières toxiques sont acheminées dans les logis par les résidants – elles ne s'immiscent pas d'elles-mêmes. Les substances toxiques du voisinage, incluant les pesticides du quatrième voisin, pénètrent dans les logis avec les coups de vent ou dans la saleté sur nos chaussures.

On a par ailleurs appris que la majorité des terrains de résidences, de parcs et de jeux dans les quartiers vieux de plus de cinquante ans ont jusqu'à 50 fois la limite jugée sécuritaire du polluant très toxique qu'est le plomb. Le plomb provient des anciennes peintures et de l'essence au plomb.

Notons que la poussière est pratiquement indélogeable des tapis à moins d'un entretien professionnel, et encore. Or la poussière se transmet si bien aux moins de six ans, par leurs mains collantes, qu'elle constitue une part majeure de leur exposition aux substances toxiques. On sait que les enfants de deux à cinq ans placent leurs mains dans la bouche en moyenne 10 à 20 fois par heure. On a ainsi pu estimer qu'il ingéraient de 15 à 50 mg de poussière par jour.

Un calcul grossier – qui a le mérite de fournir une approximation – indique qu'un enfant absorbe de la moitié à deux tiers de tasse de poussière fine avant son sixième anniversaire. La poussière fine exclut les grosses particules comme les poils de chien, le sable, les miettes de pain grillé et les fils de chandails… Un calcul approximatif similaire, divisant par cinq pour les adultes la poussière assimilée par les tout petits, indique qu'à soixante-dix ans une personne aura absorbée en moyenne deux tasses et demie de poussières fines.

Voilà des chiffres amusants, comme le souligne l'auteure Hannah Holmes, jusqu'à ce que l'on réalise que ces poussières arrivent de partout dans le monde, chargées de pesticides, de dioxines, de plomb, de mercure, de suie de cuisson mutagène, de BPC, de DDT et de plein de substances douteuses issues de la révolution chimique – substances reliées à une gamme de troubles chroniques des systèmes nerveux, reproducteur, immunitaire, respiratoire et sanguin.

Le périple de la poussière est beaucoup plus vaste que la seule histoire de ses polluants. Aux États-Unis, en 1998, on a évalué que les cendres de seulement 4 personnes incinérées sur 10 étaient livrées à un cimetière pour y être enterrées, conservées dans un columbarium ou dispersées dans un jardin d'épandage. Les autres cendres ont abouti un peu partout selon le désir des gens. Certains en insèrent dans des cannes à pêche, dans des cartes de souhait, dans des bijoux, dans des contenants destinés à l'océan ou à l'espace. Relâchée d'un avion, la part de poussière fine du corps incinéré voyagera à travers le monde au gré des courants et des rivières de poussière. Mais d'une façon ou d'une autre, nous redevenons tous poussière : la terre entière redeviendra poussière.

Au terme de sa recherche sur la poussière, Hannah Holmes conclut avec un souffle presque épique : « On nous a accordé un bail de dix milliards d'années pour la poussière sidérale qui forme notre système solaire. Mais même lorsque ce bail sera expiré, l'univers sera toujours dans sa tendre enfance. La poussière que nous lui avons empruntée profitera de plusieurs autres incarnations. [...] [Avec] chaque génération d'étoiles, l'univers deviendra plus poussiéreux. [...] [finalement] comme un vieux journal dans un grenier, l'univers épuisé disparaîtra graduellement sous une poussière grandissante. »

Le contrôle à la source des polluants serait un des éléments indispensables pour diminuer la pollution de nos corps. Des ententes entre nations sont nécessaires pour assurer une part de ce contrôle. Les pays collaborent et veulent savoir, mais on sait bien que tout contrôle rencontre, toujours, une opposition presque aveugle de l'industrie.

Heureusement, il semblerait que le contrôle à la source peut en bonne part être amorcé par la population elle-même grâce à ses choix en tant que consommateur. Choisir des produits qui ne nous empoisonnent pas directement pendant leur utilisation est essentiel, mais choisir des produits qui n'ajoutent pas à la soupe chimique environnementale lors de leur production et durant leur élimination aurait aussi un impact direct sur notre propre soupe chimique corporelle.

La bataille n'est pas perdue, loin de là. Il est possible de renverser la vapeur et d'éliminer bon nombre de substances douteuses de notre environnement, mais est-il besoin d'ajouter qu'il s'agit là d'un défi de taille !

Le risque des quantités minimales

L'industrie chimique se défend souvent en prétendant que les substances retracées ne peuvent avoir d'impact nocif puisqu'elles sont souvent de quantités minimes. Peut-être est-ce un argument sensé, mais il revient à l'industrie d'en faire la preuve. L'état actuel des connaissances nous empêche d'affirmer que pour chaque cancérogène, il existe un niveau sécuritaire d'exposition. Les plus récentes études exposent, grâce à des instruments plus précis, l'effet nocif de certaines substances en quantités minimales que l'on ne croyait jusqu'alors nocives qu'en quantités élevées.

Ainsi en est-il du plastifiant BPA, qui entre dans la fabrication de certaines bouteilles d'eau en plastique et de scellants pour les obturations dentaires. Certaines études ont démontré que ces substances avaient des effets sur la santé des animaux avec des quantités 2 500 fois inférieures à la quantité la plus faible avec effet établie par la Environmental Protection Agency (EPA) américaine. Les effets observés incluaient une altération des organes de reproduction mâles et une croissance anormale des glandes mammaires. Anodin, soutient l'industrie !

Autres exemples : DDT, BPC, dioxines, mercure et plomb ont aussi été reliés, en quantités minimales, à divers troubles tels que cancers, bronchites chroniques, diminution du quotient intellectuel et de certaines fonctions cérébrales.

BPC

Les BPC sont interdits un peu partout à travers le monde depuis le début des années 1990. Or, environ 75 % des 1,3 million de tonnes de BPC produites depuis 1930 sont portées disparues. Une étude financée par l'Union européenne conclut qu'ils doivent être dispersés dans divers équipements industriels en train de se dégrader. Ils aboutiront bientôt dans l'environnement.

Plus généralement, le docteur Pierre L. Auger, de la Direction de la santé publique de Québec, rapporte l'impact significatif causé sur des rats par l'exposition répétitive à des quantités minimales. Le phénomène agit de la même façon que l'application de légers chocs électriques, lesquels abaissent le seuil de tolérance au point que vient un moment où un léger choc de plus déclenche une réaction violente similaire à celle produite par l'application d'un choc puissant. Des résultats semblables ont été obtenus par l'administration de quantités minimales de substances chimiques.

L'industrie n'est malheureusement pas seule à prétendre que les polluants en quantité minimale ne sont pas nocifs. À l'heure actuelle, l'ensemble de l'appareil réglementaire des gouvernements repose sur l'hypothèse implicite que les études fondées sur l'analyse de quantités élevées de substances sont en mesure, à elles seules, de révéler la nocivité de ces substances.

On sait pourtant que la nocivité d'une substance ne dépend pas seulement de sa concentration et que d'autres facteurs peuvent également jouer un rôle. Des quantités minimales peuvent entre autres perturber de façon irréversible le développement du fœtus ou affecter l'organisme plus fragile des plus de soixante ans. En outre, on croit que plusieurs facteurs génétiques peuvent créer chez certains sujets une hypersensibilité à des quantités minimales de ces substances. Soulignons enfin que des substances ont d'étonnants effets contraires : en quantité élevée, elles se révèlent inoffensives alors qu'en quantité minimale elles ont des effets nocifs.

Effets croisés des multiples substances

Un des grands enjeux soulevés par les quantités minimales de substances est l'absence quasi totale de recherche sur la toxicité des combinaisons de substances constituant la soupe corporelle. Dans la vie de tous les jours, personne n'est exposé à une quantité élevée d'une substance unique, comme le sont les animaux dans les études en laboratoire, mais plutôt à une quantité minimale d'une quantité élevée de substances. Est-ce faire preuve d'une précaution excessive que de supposer qu'il peut en résulter des effets nocifs pour notre santé ?

Il est très difficile d'évaluer correctement l'effet du croisement des polluants, mais les minimiser va à l'encontre de tout ce qu'on en connaît. Deux études publiées en 2002 ont analysé l'impact sur des animaux de 16 pesticides organochlorés, de plomb et de cadmium – des substances répandues – à des quantités dites sécuritaires selon la réglementation en cours. Le résultat ? Les animaux ont développé un dérèglement de la réponse immunitaire et de la thyroïde, elle-même indispensable au développement normal du cerveau.

Philippe Lageix, pédopsychiatre et responsable de la Clinique des troubles de l'attention à l'hôpital Rivière-des-Prairies dans la région de Montréal, souligne que « le problème, c'est que tout le monde se renvoie la balle. Mais un cocktail de produits mutagènes mis en présence d'un autre cocktail de produits neurotoxiques, comme on en trouve dans les eaux de surface ou souterraines qui alimentent les aqueducs, peut donner un mélange beaucoup plus puissant que chaque élément pris isolément dans un laboratoire. Ils peuvent affecter le développement du système nerveux des enfants et par conséquent occasionner des problèmes de l'attention ». (*La Presse,* cahier Actuel, 19 septembre 2004.)

Alors que nous ne disposons même pas d'informations suffisantes sur la nocivité d'une majorité des substances existantes, il est totalement exclus d'entrevoir le jour où nous disposerons d'une information complète sur les effets croisés de bataillons entiers de substances douteuses. Un fabricant qui défend l'innocuité de la quantité minimale de sa substance particulière ne comprend pas, ou fait semblant de ne pas comprendre, la complexité de l'assaut auquel est soumis le corps dans les sociétés industrialisées.

Omniprésence des substances

Au Canada, la grande et la moyenne entreprise ont l'obligation de rapporter leurs émissions de cancérogènes. Selon cet inventaire, près de 18 500 tonnes de cancérogènes ont été relâchées dans l'air, le sol et l'eau, seulement pour l'année 2001.

Témoins de la confusion animant les politiques actuelles, les dioxines (PCDDs) sont un cancérogène bel et bien confirmé par la International Agency for Research on Cancer – l'autorité en la matière. Or elles ne font pas partie des substances dont la diffusion doit être rapportée dans l'inventaire cité plus haut. Les dioxines sont présentes partout dans l'environnement et seraient absorbées surtout en mangeant de la viande, du lait, des œufs et des poissons. Plusieurs chercheurs les croient à tout le moins en partie responsables de nombreuses maladies.

Autre exemple, le benzène est, selon la International Agency for Research on Cancer, un cancérogène confirmé. Le docteur Landrigan, responsable du Département de médecine communautaire au Mount Sinai Hospital, se dit affligé par le temps et les luttes interminables passés devant les tribunaux pour prouver la nécessité de politiques de protection efficaces contre les substances comme le benzène. Au Canada seulement, 1 185 tonnes de benzène ont encore été rejetées dans l'environnement par l'industrie en 2001.

Parmi les signaux dérangeants, on apprend qu'en 2003 un microbiologiste a été mis à la porte de la Environmental Protection Agency (EPA) après avoir affirmé que celle-ci dénaturait les données afin de ne pas empêcher l'utilisation comme engrais des boues produites par les usines d'épuration des eaux usées. Trois millions de tonnes de ces boues sont utilisées par année alors qu'on constate qu'elles sont si toxiques qu'elles s'attaquent aux clôtures des fermes et rendent par leurs émanations les vaches malades. Ne nous leurrons pas avec le « Pas dans ma cour » : les aliments voyagent aujourd'hui de partout à travers le monde avant d'atterrir dans notre assiette.

Dans le même domaine de l'alimentation, Robert Chernomas (Chernomas, Donner, 2004) rappelle que la transformation de notre alimentation a rendu les gras dangereux : les gras trans, de création industrielle et aujourd'hui décriés par tous les spécialistes de la santé, y sont omniprésents. Les Canadiens sont même réputés les plus grands consommateurs au monde de cette substance néfaste pour la santé cardiaque.

Le gras animal, de son côté, a été relié récemment aux cancers de la prostate et du sein. La recherche de Chernomas souligne que le gras animal constitue le principal moyen par lequel des polluants cancérogènes comme les dioxines pénètrent en nous. Ce gras est de plus transformé par les pratiques de l'élevage industriel en gras super-saturé. C'est ainsi que certains procédés de l'industrie, devant au départ assurer des aliments à meilleur coût, finissent par créer de nouvelles substances qui menacent notre santé de multiples façons.

À la fin des années 1990, une multiplication d'ours polaires hermaphrodites est constatée sur la banquise du Groenland. Les données des chercheurs norvégiens désignent comme cause la pollution corporelle des animaux par des doses concentrées de polluants qui agissent comme des leurres hormonaux et dérèglent le développement des organes sexuels. Les polluants seraient acheminés par les courants d'air dans l'atmosphère. Des effets semblables sont constatés un peu partout sur des sauriens, des poissons et des batraciens.

De fait, on sait aujourd'hui que la pollution chimique des populations et des mammifères marins de l'Arctique est parmi les plus élevées de la planète. Selon un suivi mené par les populations indigènes elles-mêmes, Inuits et ours polaires affichent une pollution élevée en substances interdites depuis des décennies, comme les BPC et le DDT, mais aussi en substances encore autorisées, comme les substances ignifuges et les antiadhésifs du genre téflon. Les substances ignifuges (EDPB) sont utilisées dans la bourre de canapés, les dessous de tapis et les plastiques d'appareils comme les ordinateurs ; certaines de ces substances ont des effets similaires aux BPC et peuvent attaquer le système immunitaire. Les substances antiadhésives (PFC) servent de protection des tissus, des tapis, de différentes surfaces et d'antiadhésif sur les casseroles à revêtement de téflon ; jusqu'à maintenant, on croit que ces substances ne sont pas biodégradables.

Chez les enfants des Premières Nations et des Inuits, on a trouvé des BPC (quatre fois la moyenne provinciale) et du mercure (6 à 14 fois la moyenne provinciale) en quantité assez élevée pour causer des troubles du développement et du système immunitaire.

Les polluants industriels sont acheminés par les courants d'air et d'eau – mais parfois aussi propagés par les sites contaminés de postes militaires du Nord-du-Québec maintenant abandonnés. Ils sont dits persistants parce qu'ils prennent beaucoup de temps à se désagréger. Ils s'accumulent tout au long de la chaîne alimentaire – le végétal nourrit les petits organismes, qui nourrissent les petits animaux, qui nourrissent les plus gros – jusqu'à se concentrer dans les graisses des carnivores les plus gros et des humains qui s'en nourrissent. Que les Inuits s'alimentent largement de ces carnivores expliquerait la pollution élevée de leurs corps dès le plus jeune âge, alors que le nourrisson s'alimente au sein maternel.

Les polluants sont une menace suffisamment significative pour que 151 pays aient signé, en mai 2004, la Convention de Stockholm sur une catégorie particulièrement à risque, les polluants organiques persistants (POP). D'emblée, une douzaine de POP sont désignés comme assez dangereux pour qu'il soit justifié de les éliminer graduellement. L'histoire se déroule pratiquement toujours ainsi : des substances tolérées voilà peu se retrouvent d'un jour à l'autre sur une liste de substances à éviter à tout prix, quand la recherche est enfin parvenue à trouver l'argent pour les évaluer. Entre-temps, les substances se sont infiltrées un peu partout dans l'environnement et dans le corps des gens, qui servent, sans le savoir, de cobayes.

On sait déjà que nombreux sont les POP à constituer des perturbateurs du système endocrinien, donc à affecter les équilibres hormonaux qui régulent les systèmes immunitaire et neurologique les plus fins aussi bien que le développement du squelette et des habiletés développementales. BPC et DDT sont les polluants organiques persistants retracés en plus grandes quantités dans l'Arctique. Les Inuits le comprennent de mieux en mieux, et l'apprécient de moins en moins.

Aux substances à risque créées par l'industrie s'ajoutent les substances générées par les procédés industriels, comme le mercure ou les dioxines, deux sous-produits de la combustion des incinérateurs et des centrales thermiques au charbon. Elles aussi trouvent leur chemin jusque dans nos corps, souvent en s'accumulant dans la chaîne alimentaire : le mercure se retrouvant dans les poissons et les dioxines dans le gras animal. Ces substances présentent un danger significatif, documenté par la recherche.

À la suite de la mise en œuvre, en 2000, de sa politique sur les sites contaminés, le gouvernement fédéral a publié une liste de 1 221 sites potentiellement dangereux dont il est lui-même propriétaire. En 2004, la liste s'allongeait à 3 800 sites. Une dizaine de sites urbains ont été désignés comme étant hautement prioritaires. Le Québec compte 299 des 3 800 sites fédéraux, la Colombie-Britannique 235 et l'Ontario, 204.

Ces estimés doivent être considérés comme préliminaires. Ils s'appuient sur les données disponibles en 1998. Ils ne précisent pas que les sites évoqués en cachent souvent plusieurs autres. Ils n'incluent pas les sites détenus par les sociétés d'État. Ils excluent les sites comme celui du Technoparc – vendu à la Ville de Montréal et dont les importants rejets de BPC dans le fleuve ont fait la manchette. Montréal est la ville qui compte le plus de sites contaminés (27) à propriété fédérale, dont le canal de Lachine, l'aéroport de Dorval et le dépôt d'approvisionnement de la Défense nationale à Longue-Pointe. Québec est deuxième, avec 26 sites, dont la gare maritime Champlain.

Plus encore, un porte-parole du CEMRS, ressource montréalaise en décontamination, évalue à 800 le nombre total des sites contaminés à Montréal. Il y aurait ainsi pas moins de 10 millions de pieds carrés de terrains non utilisés dans la zone sud-ouest. Seuls 15 % des 800 sites ont fait l'objet d'une approche de revalorisation.

Évaluer plus précisément l'importance des sites contaminés actuellement laissés à l'abandon au pays permet d'entrevoir les impacts nocifs, possibles et probables, qu'ils ne peuvent manquer d'avoir. Chiffrer l'enjeu est déjà un début de solution.

Troubles de santé majeurs

Dans quelle mesure est-il prouvé que la pollution chimique de nos corps aurait, dès maintenant, un impact significatif sur notre santé ? Le plus simple serait de fournir un pourcentage des troubles chroniques, qui constituent la majorité de nos maladies, causés avec certitude par la pollution de nos corps. La recherche pour ce livre n'a pas permis de trouver ce chiffre. Par contre, une foule de données permettent d'évaluer son importance probable.

On sait que de nombreuses substances présentes dans nos corps ont un lien possible ou probable avec de nombreuses maladies chroniques, mais on ne possède pas la certitude de ce lien. Affirmer qu'une substance est la cause certaine d'une maladie spécifique chez une personne donnée exige recherche, temps et argent qui, à court et à moyen terme, font défaut à nos sociétés industrialisées. Des dizaines d'années sont souvent nécessaires avant d'établir la certitude d'une origine.

Les preuves sont de plus en plus nombreuses et de plus en plus solides sur le lien entre de multiples substances et quantité de maladies – incluant les plus fréquentes décrites ci-après. Cette documentation justifie largement des mesures de précaution ciblées et soigneusement calibrées contre l'ensemble des substances chimiques, à l'instar de l'Europe avec son programme REACH, comme on le verra un peu plus loin. Il en va de notre protection, humaine et financière, contre la prolifération des maladies chroniques.

À titre d'exemple, le professeur Dominique Belpomme (*Ces maladies créées par l'homme*, *op. cit.*), cancérologue réputé à la tête du plan français contre le cancer, affirme que l'on « a suffisamment d'arguments scientifiques aujourd'hui pour faire jouer le principe de précaution. Il faut retirer du marché les molécules qui sont certainement ou probablement cancérigènes, dépolluer lorsque ce sont les aliments et l'eau qui sont concernés ».

Bêtement, nous ne pouvons plus nous payer le luxe de l'insouciance chimique. L'industrie devra faire son deuil de la négligence motivée par l'appât du gain et devra expliquer comment elle entend contribuer à la protection de la santé publique contre le monstre qu'elle a engendré. Les menaces de pertes d'emploi alarmistes souvent proférées par l'industrie pour se défendre ne doivent plus justifier les risques et les coûts de la maladie : un emploi cancérogène n'est pas un bénéfice, c'est un cancer de loin moins agréable qu'un mode de vie plus simple.

Ces troubles de santé qu'on dit reliés à la pollution chimique de nos corps, quels sont-ils ? Précisons que certains groupes sont plus exposés aux risques des substances chimiques : le fœtus dans le sein maternel, le bambin qui porte continuellement ses mains humides à la bouche après avoir rampé au sol, la personne âgée longtemps exposée aux substances et celle qui a un système immunitaire affaibli. Les agriculteurs, les personnes plus pauvres et les personnes de couleur sont aussi exposés de façon disproportionnée aux risques des polluants.

Alzheimer et démences

Le professeur Colin Pritchard, de la Bournemouth University en Angleterre, se dit effrayé par les hausses des maladies neurologiques et psychiatriques constatées entre 1979 et 1997 (Pritchard *et al.*, 2004) dans huit pays industrialisés : Canada, Japon, Australie, France, Allemagne, Italie, Hollande et Espagne. Diverses formes de démence, notamment l'Alzheimer, ont plus que triplé chez les hommes et augmenté de 90 % chez les femmes. Le Parkinson est en hausse de 50 %, sauf au Japon. Ces résultats tiennent compte du vieillissement de la population et de l'amélioration des outils de diagnostic.

Pritchard souligne l'impossibilité que pareilles variations aient des causes génétiques, puisque celles-ci ne peuvent survenir que sur des siècles. La cause la plus probable de telles hausses serait, aux yeux des chercheurs, l'omniprésence croissante de multiples substances chimiques douteuses dans tous les aspects de la vie moderne. Il n'existerait pas une cause unique mais plutôt une pollution multiforme aux impacts variés et croisés.

Cancer

La Société canadienne du cancer indique que, selon les recherches menées à ce jour, jusqu'à 5 % des cancers sont étroitement liés à la pollution de l'environnement – environ 6 400 cas par année au Canada. La Société ajoute que certains spécialistes sont d'avis que les recherches à venir pourraient élever le compte jusqu'à 10 % des cancers – environ 13 000 cas au Canada.

La pollution de nos corps ne provient pas uniquement des polluants dans l'environnement issus de procédés industriels (comme les dioxines issues de l'incinération) ou du transport (comme la suie de diesel). Les substances chimiques créées par l'industrie y sont pour quelque chose, entre autres les pesticides qui aboutissent dans les aliments et l'eau à boire, ou le perchloréthylène, qui entre librement dans nos logis avec les vêtements au retour du nettoyeur à sec. Lorsque l'on additionne les polluants de toutes les origines qui aboutissent dans nos corps, on obtient de multiples données pointant directement vers le cancer.

S'ajoute ce que l'on comprend aujourd'hui du cancer. Il aurait besoin, pour être initié, d'une première cellule dont le fonctionnement se dérègle puis, pour se développer, de divers facteurs qui viendront faire proliférer cette cellule. Il n'y aurait donc pas une cause majeure du cancer, mais une série de causes qui peuvent s'étaler sur des années, à partir même du stage fœtal. Pareille explication est conséquente avec la nature chronique (à long terme), cumulative et croisée de la pollution chimique dans nos corps.

Prenons comme repère général les statistiques : plusieurs formes de cancers sont en hausse sans que la hausse puisse être expliquée par le vieillissement de la population ni le tabagisme. De 1970 à 1998, les cancers ont augmenté au Canada de 35 % chez les hommes et de 27 % chez les femmes – en tenant compte des ajustements requis par le vieillissement de la population. Entre 1974 et 1998, les cancers du sein ont augmenté de 16,2 %, ceux de la prostate de 89,5 %.

Aux États-Unis, entre 1992 et 1999, on a noté une augmentation des cancers de la thyroïde (22 %), des os et des articulations (20 %), du foie (14 %) ainsi que de la leucémie (18 %). En France, les cancers qui ont progressé le plus entre 1980 et 2000 (prostate, mélanome, sein, thyroïde, lymphome, cerveau) n'ont aucun lien avec le tabagisme, l'alcool ou le vieillissement de la population.

Selon le *Harvard Report on Cancer Prevention* de 1996, l'alimentation associée à l'obésité (30 % des cancers) est la deuxième cause la plus fréquemment reliée au cancer, derrière le tabagisme.

La spécialiste Hélène Doucet Leduc (*Échec à la contamination des aliments,* Montréal, 1993) estime même à 35 % les cancers dus aux habitudes alimentaires – soit 44 800 au Canada dont 11 200 au Québec, sur la base des données de la Société du cancer. Elle précise, et c'est très important, que ces cancers seraient plus spécifiquement dus à un trop grand apport de gras. Les pays à régime faible en graisses ont moins de cancers reliés à l'alimentation.

Or on sait que de nombreux polluants toxiques, les dioxines par exemple, se logent dans le gras animal. Quand la Société canadienne du cancer recommande de limiter notre apport en gras saturés que l'on trouve presque uniquement chez les animaux, elle nous encourage donc à limiter notre apport alimentaire en polluants, mais sans jamais le préciser.

Si on ajoute les 10 % de cancers reliés aux polluants dans l'environnement aux 30 % de cancers reliés à l'alimentation et aux polluants contenus dans le gras animal, on obtient le total exploratoire de 40 % de cancers possiblement et probablement reliés à la pollution de nos corps.

Voilà un total beaucoup plus proche du sentiment évoqué à de multiples occasions par la communauté scientifique. Mais en présence d'intérêts économiques majeurs, les chercheurs deviennent étonnamment pusillanimes. Ainsi, ils évitent le plus souvent d'évoquer les liens possibles et probables entre la consommation de bœuf haché, le plus souvent une viande grasse, et le cancer. Pendant ce temps, l'industrie niera ce lien sans avoir aucune preuve à offrir. Double standard, double mesure, dont la santé publique fait les frais.

D'autres résultats indiquent que les cancers de la vessie, du pancréas et du rein ont, chez l'adulte, des liens avec les pesticides. Tout comme les leucémies et les tumeurs du cerveau chez l'enfant. Une étude scandinave sur des jumeaux montre que 73 % des cancers du sein et 68 % de ceux de la prostate sont reliés à l'environnement, au sens large, tabagisme inclus.

Du côté de la pollution de l'air par les transports, la combustion partielle des carburants fossiles par les véhicules est désignée de plus en plus comme source importante de troubles allant du cancer aux troubles pulmonaires et cardiaques. Les États-Unis qualifient la poussière émanant des moteurs diesel de « cause hautement probable » de cancer. Une agence étudiant la pollution de l'air en Californie estime que la suie de diesel suscite près des deux tiers des risques de cancer par les polluants de l'air à Los Angeles. Selon des calculs de risque attribuable, la plupart des cancers et leucémies chez les enfants sont probablement dus à l'exposition de leurs mères à des polluants du transport alors qu'elles étaient enceintes (Knox, 2005).

Par ailleurs, à la maison ou au resto, la cuisson de la viande à trop haute température et trop longtemps produit, comme c'est aussi le cas pour certaines huiles végétales, des substances mutagènes qui adhèrent en majeure partie à l'aliment et sont, pour le reste, relâchées dans l'air avec la fumée. Ces mutagènes sont reliés à des cancers de l'estomac, de l'intestin et du sein.

Derniers types de polluants corporels reliés au cancer, les polluants occupationnels auxquels sont exposés les gens dans leur milieu de travail. De façon conservatrice, toujours d'après le *Harvard Report on Cancer Prevention*, on estime qu'ils sont responsables de 5 % des cancers. On pourrait les prévenir par des initiatives comme celle de Ford, qui a remplacé les fluides cancérogènes, utilisés pour travailler le métal dans les usines à moteurs, par un produit à base de canola.

Peut-on apporter une réponse à la question du début, à savoir quels sont les cancers que la recherche relie à la pollution chimique de nos corps ? L'auteur d'un essai comme celui-ci ne peut se substituer à la recherche pour formuler un pourcentage vraisemblable. Du moins peut-on affirmer que l'impression qui se dégage de la documentation consultée est que ce pourcentage est significatif et étonnamment sous-estimé.

Le problème, c'est que la loi exige une certitude avant de nous protéger d'une substance polluante. Cette exigence camoufle l'importance de se protéger des multiples substances, possiblement et probablement cancérogènes, qui n'ont pas encore été suffisamment testées, faute de budgets, pour obtenir des certitudes.

Troubles cardiaques, diabète

Les gras trans appartiennent aux substances de création industrielle qui se comportent en polluants nocifs pour le corps. La recherche a clairement établi la forte probabilité que ces gras rendent malades : ils élèvent le taux du mauvais cholestérol et abaisse le bon. Ils sont omniprésents dans les pâtisseries, grignotines et margarines, de même que dans la friture et les mets de restauration rapide. Des études font un lien entre une alimentation riche en gras trans et les troubles cardiaques, première cause de décès au Canada. Des liens avec le diabète acquis de type 2, le diabète le plus fréquent, sont aussi clairement établis.

Les recherches épidémiologiques du docteur Walter Willet, de Harvard, estiment que les gras trans sont responsables de 100 000 décès prématurés aux États-Unis (2 500 au Québec, proportionnellement). Or, dès 1998, Santé Canada établissait que les Canadiens sont, au monde, les gens qui ont le plus de gras trans dans leur gras corporel. Les statistiques montrent qu'ils en sont les plus grands consommateurs.

Par ailleurs, une étude sur une période de quatre ans a conclu que les personnes consommant plus d'une boisson gazeuse ou fruitée par jour voient leur risque de développer un diabète de type 2 augmenter de 83 %. Le diabète de type 2 apparaît habituellement à l'âge adulte ; on le relie à de mauvaises habitudes alimentaires, notamment à une consommation élevée en sucre raffiné. Comme les gras trans, le sucre raffiné est une substance de création industrielle sans bénéfice nutritionnel, dont la consommation inconsidérée a un effet nocif sur le corps, ce que nie l'industrie du sucre.

Enfin, la qualité du gras animal, que les diététistes recommandent de limiter dépend des pratiques de l'élevage industriel. Les animaux d'élevage qui s'alimentent dans la nature plutôt qu'aux grains produisent des gras très distincts. Par exemple, les œufs de poules élevées en liberté dans la nature – se nourrissant de verdure et de bestioles – ont 20 fois plus d'oméga-3 que ceux des poules nourries aux grains. Ces œufs ont 30 % moins de gras saturés et un ratio idéal de 1 pour 1 entre oméga-6 et oméga-3, alors que les autres ont un ratio indésirable de 20 pour 1. Un tel surplus d'oméga-6, souligne le psychiatre français David Servan-Schreiber (*Guérir*. Paris, Laffont, 2003), est associé aux troubles chroniques les plus courants comprenant une composante inflammatoire, comme les pertes cognitives et les troubles cardio-vasculaires.

La nature même du gras animal a donc été radicalement transformée par le génie chimique et l'élevage industriel, multipliant l'apport en oméga-6 par rapport aux oméga-3, de même que la part des gras saturés. Il n'est aucunement exagéré de parler aujourd'hui de la viande comme d'un aliment de synthèse distinct de ce qu'elle était avant ces pratiques : un aliment de synthèse, une nouvelle substance, qui agit comme un polluant pour le corps et qui est directement relié à la prévalence des troubles cardiaques en Amérique.

Gras trans, gras saturés, gras disproportionnés en oméga-6 et sucre raffiné sont des produits du génie industriel qui ont un impact majeur sur une grande part des troubles chroniques. Désolé : impossible de donner ici le pourcentage précis de l'impact qu'ont ces substances polluantes. (Pollution : contamination ou destruction de la pureté des choses, représentant un danger pour la santé humaine, selon le *Robert* et le *Grand Dictionnaire terminologique* de l'OLF.)

Asthme

L'asthme a pris des proportions épidémiques depuis peu dans les pays industrialisés. C'est plus de trois millions de Canadiens qui souffrent de cette maladie, dont 700 000 au Québec. En vingt ans, le nombre d'asthmatiques a triplé au Canada. Au Québec, l'asthme tue chaque année 150 personnes et occasionne plus de 100 000 visites à l'urgence.

Dans son livre sur les secrets de la poussière, Hannah Holmes constate que les antécédents génétiques ne peuvent à eux seuls expliquer cette poussée, pas plus que les maisons devenues plus étanches, avec plus de chauffage, de tapis et de mobilier où peuvent s'accumuler poussière, mites et allergènes – théorie avancée dans les années 1980. Au moment de son étude, Holmes constatait que le meilleur indicateur d'un asthme potentiel chez un enfant était la présence chez lui d'une allergie à l'une ou l'autre des composantes de la poussière domestique. Mais elle ne comprenait pas pourquoi.

Pour la première fois (Bornehag et ass., 2004), une étude épidémiologique suédoise a établi qu'une hausse de l'asthme, des rhinites et de l'eczéma chez les enfants était reliée à la présence de phtalates dans la poussière de leur chambre. Les phtalates sont des substances ajoutées aux plastiques comme le vinyle (ou PVC, polychlorure de vinyle) pour les rendre plus souples ; on les trouve aussi dans les cosmétiques, les colles, les teintures. Ils sont devenus omniprésents dans les pays industrialisés, qui en produisent 3,5 millions de tonnes métriques chaque année.

L'apparition et la croissance de l'utilisation des phtalates sont survenues en même temps que la hausse fulgurante de l'asthme, des rhinites et de l'eczéma. L'hypothèse actuelle est que les phtalates agiraient comme des perturbateurs du système immunitaire, dont ils hausseraient la sensibilité.

Mais ce ne sont pas les seuls facteurs reliés à l'asthme. Avant l'étude suédoise, on s'était rendu compte qu'il y avait eu une baisse de consultations pour l'asthme de l'ordre de 11 à 44 %, selon les cliniques, durant les quatre semaines des Jeux olympiques d'Atlanta en 1996 – période durant laquelle la circulation était interdite au centre-ville… Une autre explication voulait que la poussière des anciennes demeures, plus abondante et plus riche en germes de toutes sortes, renforçait le système immunitaire des enfants, comme on le croit encore pour les enfants élevés en milieu agricole. On croyait aussi que les composés de la poussière moderne avaient besoin de l'inactivité de nos corps et de nos poumons pour que surgisse l'asthme.

Les données du chercheur états-unien Thomas Platts-Mills montrent qu'un enfant des années 1950 passait quatre heures par jour dehors, alors que l'enfant d'aujourd'hui n'y passe plus que trente minutes. Voilà un changement significatif, et ce, en faveur d'activités strictement visuelles. L'activité physique, avec ses effets anti-inflammatoires et sans doute guérisseurs, se trouve d'autant diminuée. Les données de Platts-Mills le portent à croire que, pour contrer le problème à la source, la simple marche, graduelle et répétitive, offre les bénéfices recherchés – nul besoin de pratiquer un sport extrême. Cette hypothèse est d'autant plus importante que d'autres données semblent aussi déceler une association entre asthme et obésité, laquelle est d'ailleurs reliée au manque d'activité.

À propos de l'asthme et en écho au chaos légué par le dérapage de la révolution chimique, Hannah Holmes concluait : « À l'heure qu'il est, les toxicologues ne savent absolument plus quoi répondre. Il y a des milliers de composés dans la poussière de l'industrie et des transports. Peut-être qu'ils constituent tous le problème. Peut-être que deux d'entre eux sont le problème. [...] Peut-être qu'une poussière cause les attaques d'asthme alors qu'une autre cause les bronchites et une troisième les troubles cardiaques. »

L'étude suédoise semble avoir dégoté un élément de compréhension majeur en reliant l'asthme à la pollution des corps par les phtalates des planchers en vinyle. Elle illustre aussi combien complexe et imposant est devenu l'impact des substances chimiques sur notre santé.

Décès

Il est établi que les divers mélanges de polluants identifiés dans la poussière de l'air changent la chimie même du sang. Ils modifient le pouls. Ils transforment le mélange des substances protectrices dans les poumons.

Hannah Holmes rapporte qu'un classement des villes selon le niveau de poussière dans l'air a révélé aux spécialistes de la santé que les villes les plus poussiéreuses sont aussi celles où les taux de mortalité sont les plus élevés. Étrangement, ce ne serait pas l'une ou l'autre des poussières fines qui serait reliée par les statistiques à la hausse des décès, mais plutôt leur degré de concentration dans l'ensemble. Les données désignent tout de même les fines poussières chimiques d'origine industrielle comme principales responsables des décès. Heure après heure, ces poussières s'installent insidieusement dans les corps.

La Environmental Protection Agency aux États-Unis a estimé que les effets connus des polluants de la poussière dans l'air causeraient dans l'ensemble, à eux seuls, 60 000 décès chaque année aux États-Unis – soit, en proportion, 6 000 au Canada et 1 200 au Québec sur les 50 000 décès annuels. On peut considérer ces 1 200 décès sur 50 000 comme un taux élevé, il l'est moins si on cherche l'origine des 7 décès sur 10 causés par les maladies chroniques dans les pays industrialisés.

La Fondation Suzuki, qui appuie toujours ses avis sur des recherches de qualité, estime quant à elle que ce n'est pas moins de 16 000 Canadiens qui sont condamnés à une mort précoce chaque année (4 000 au Québec, proportionnellement) par la pollution de l'air, surtout celle causée par le transport. Le même genre de calcul permet d'estimer que les polluants de la poussière dans l'air tuent en Chine 1 personne sur 14, soit environ un million de gens chaque année. Les deux polluants majeurs de l'air sont, là-bas, le diesel et un type de charbon particulièrement toxique utilisé pour la cuisson des aliments.

L'épidémiologiste états-unien Morton Lippmann étudie l'impact de la pollution de l'air sur les décès dans les hôpitaux. Il précise que les troubles occasionnés par les polluants de l'air incluent les blocages pulmonaires, les infections respiratoires mortelles, mais aussi les arrêts cardiaques, la disrythmie, les troubles des artères coronaires – ces derniers tuent même plus de gens lors d'épisodes de pollution élevée. Ces données font abstraction du spectre beaucoup plus large que les seules maladies mortelles. Et toujours, ce sont les enfants et les plus de soixante-cinq ans qui sont les plus touchés, les personnes les plus fragiles.

Avertissements de la science

Pour conclure ce panorama, un traité publié au début de 2003 par un groupe de chercheurs de pointe de la communauté scientifique franco-québécoise, *Environnement et santé publique,* offre un condensé de ce que la recherche en santé environnementale comprend de l'impact qu'a la pollution dans nos corps sur notre santé.

Voici, en quelques citations, les points soulignés.

« L'importance quantitative, la gravité et la nature insidieuse du cancer environnemental [...] [les] nombreuses atteintes immunologiques induites par l'exposition à une substance chimique [...] [dont] les conséquences prévisibles sont une augmentation de l'incidence des infections, des allergies et des cancers. »

Allergies

L'eczéma affecte aujourd'hui une personne sur cinq au Canada. Une hausse majeure de la prévalence de l'eczéma a été constatée depuis vingt ans.

Devant la montée des allergies dans les pays développés, l'Organisation mondiale de la santé (OMS) a réagi en plaçant les allergies à la quatrième place dans le classement des troubles de santé dans le monde.

En France, au début de 2004, la commission d'orientation du plan national Santé-Environnement accusait la pollution dans le dossier des allergies.

« Le risque d'atteinte neurotoxique constitue aujourd'hui un enjeu scientifique majeur en santé publique [...]. Des substances largement répandues et que l'on a longtemps considérées comme étant d'une totale innocuité ont révélé leur propension à la nocivité [...]. Dans la plupart des cas, la détérioration des fonctions nerveuses est progressive [et les] dysfonctions peuvent passer inaperçues pendant des années. »

Atteinte neurotoxique

De récents estimés (2004) par la Environmental Protection Agency des États-Unis ont doublé à un sur six le nombre d'enfants susceptibles d'être affectés de troubles du développement reliés à la présence de trop fortes concentrations de mercure dans le sein de la mère. D'après le Environmental Working Group, cette pollution au mercure est principalement attribuable à la consommation de poissons et de fruits de mer contaminés à l'origine par les émissions des centrales thermiques au charbon pour la production d'électricité.

« Seuls 2 % des cas [d'insuffisance rénale terminale] sont actuellement attribués à des toxiques [...]. Cependant, près de 50 % de ces cas d'insuffisance rénale sont d'étiologie inconnue, donc il est vraisemblable que ce risque [des toxiques dans l'environnement] est sous-estimé. »

Insuffisance rénale

Selon l'Institut canadien d'information sur la santé (2004), le nombre de personnes traitées pour insuffisance rénale terminale s'est accru d'environ 20 % au Canada entre 1997 et 2001.

Chapitre 2

LA RÉVOLUTION RÉVOLUE

La loi des hors-la-loi

Selon la loi du TSCA états-unien (*Toxic Substances Control Act*), les substances chimiques sont présumées sécuritaires tant qu'aucune preuve n'établit avec certitude leur nocivité. Ainsi, une substance qui présente la possibilité et même la probabilité de causer un dommage irréversible ne sera pas interdite ni contrôlée, contrairement à ce qu'exige le principe de précaution. Le fabricant n'a aucune obligation quant à la démonstration de la sécurité de sa substance, puisque l'absence de preuve quant à la nocivité est jugée suffisante. Il n'a donc qu'à se croiser les bras et attendre qu'un lien direct soit établi entre son produit et un problème de santé précis chez l'humain. Ce qui, dans la pratique, prend souvent des décennies. Au besoin, il consentira alors à corriger le tir en jurant de sa bonne foi ; pendant ce temps, il pouvait détenir dans ses dossiers des études jetant un doute sur sa substance sans qu'il ait jamais eu à les publier.

Le règlement du TSCA continue en interdisant à l'organisme régulateur, la Environmental Protection Agency (EPA), d'exiger des tests de sécurité à moins qu'elle puisse prouver que la substance comporte un risque déraisonnable. Et la EPA n'a pas le droit non plus d'exiger des fabricants les renseignements nécessaires pour évaluer ce risque. Difficile de concevoir cercle plus vicieux ! Et là réside le nœud du problème. Dans son principe même, la loi protège les hors-la-loi, pas la population.

Dans un tel contexte, il est bien évident qu'aucune étude de toxicité chronique (à long terme), cumulative (plusieurs produits exposant la personne à plusieurs reprises à la même substance) et croisée (effet combiné de plusieurs substances de natures différentes) n'est requise pour aucune des substances sur le marché.

Le Canada fait à peine mieux puisque la majorité des substances utilisées aux États-Unis le sont aussi au Canada, malgré des déclarations de principe inspirées. À titre d'exemple, une nouvelle loi sur les produits antiparasitaires, les pesticides, a reçu la sanction royale en décembre 2002. Elle vise à protéger la santé, l'environnement et la transparence de la réglementation ; elle contraint les entreprises à déclarer tout effet nocif. Voilà qui semble au premier coup d'œil annoncer un certain progrès. Sauf qu'il est compris que les règlements de cette loi ne seront rédigés et approuvés qu'au cours d'un processus qui s'étendra sur des années. La révolution chimique dure depuis cinquante ans et le gouvernement canadien a encore besoin de temps pour définir un cadre réglementaire plus serré.

En réalité, c'est l'industrie qui a besoin de repousser toute exigence supplémentaire de sécurité, tout en permettant aux élus dont elle finance la caisse électorale de pouvoir clamer qu'ils « travaillent » sur l'enjeu.

Faut-il rappeler que, pendant ce temps, la population sert de cobaye pour vérifier entre autres la nocivité des pesticides actuellement utilisés ? Faut-il préciser qu'une mesure de précaution minimale, au vu de ce que diverses études ont déjà établi à propos des pesticides, forcerait un contrôle sinon une interdiction d'un grand nombre de ces substances ?

Quand le gouvernement répond qu'il ne peut désavantager les agriculteurs canadiens en interdisant des pesticides qui permettent des récoltes moins onéreuses aux États-Unis, il se met à la remorque des intérêts à court terme de l'industrie américaine. De plus, il ne prévient pas la population canadienne qu'on met sa santé en péril pour protéger celle de l'industrie agricole. La nouvelle loi canadienne sur les produits antiparasitaires, sanctionnée en décembre 2002, démontre la pertinence d'agir mais n'affiche pas la détermination requise pour relever le défi posé par la révolution chimique.

Il faut avoir le nez collé sur l'actualité pour réaliser que cette loi ne garantit, ni maintenant ni dans un futur prévisible, le minimum de précaution que la population est en droit d'attendre face au risque chimique. Les enjeux sont en un sens si complexes que la population ne fait pas le lien entre les pesticides aboutissant dans son garde-manger et ces acrobaties législatives.

Contorsionnisme canadien

Le gouvernement canadien entretient une ambiguïté malsaine dans ses recommandations sur la santé publique. Il ne précise jamais, par exemple, que les avis du *Guide alimentaire canadien* sont le résultat d'un compromis entre la santé de la population et la santé de l'industrie : du contorsionnisme législatif de haute voltige.

Les avis du *Guide alimentaire* ne reflètent pas, entre autres, les études les plus récentes qui ont inspiré la pyramide alimentaire publiée par l'Université Harvard à l'automne 2002.

Jamais le gouvernement n'indique que ses avis tardent à suivre l'évolution de la science à cause des pressions de l'industrie agroalimentaire. Pour l'avoir simplement évoqué publiquement, le président de l'Ordre des diététistes du Québec s'est fait rabrouer sans ménagement à l'automne 2002.

En cela, la population est l'otage d'un mensonge drapé du lustre de l'officialité. Pourtant, le gouvernement serait dans son droit s'il affichait clairement ses intentions de préserver un équilibre entre l'appétit de l'industrie et la santé publique. Et la population saurait à quoi s'en tenir.

Il ne s'agit guère d'un comportement original. Le docteur Walter Willett, directeur du département de nutrition à l'École de santé publique de Harvard, a écrit sur les règles d'alimentation un guide qui fait autorité (*Eat, Drink, and Be Healthy. The Harvard Medical School Guide to Healthy Eating*, 2001). Il explique ainsi l'enjeu de cette confusion intentionnelle : « La chose à se rappeler à propos de la Pyramide de la USDA (Département de l'agriculture américain) est qu'elle provient du Département de l'agriculture, l'agence responsable de la promotion de l'agriculture américaine, et non des agences établies pour suivre et protéger notre santé. »

La pyramide proposée par Willett dans son livre attire simplement l'attention sur les classiques que sont les fruits et légumes, les hydrates de carbone complexes, les bons gras et les petites quantités. Petite précision : le docteur Willett ajoute que le soya ne peut combler à lui seul certains besoins à moins d'en consommer une énorme quantité ; les noix et les graines sont par contre des aliments plus complets.

De telles recommandations jouent dans la zone grise créée par l'évaluation de ce qui constitue un risque acceptable. Cet enjeu confronte de nombreux gouvernements dans les sociétés industrialisées. Lorsque l'industrie kidnappe le processus d'évaluation du risque et le dénature derrière des portes closes, la population n'a pas l'heure juste et ne peut exercer son droit légitime et politique de décider ce qu'elle considère comme bon pour elle.

Plusieurs études attestent que les gras trans sont associés à des effets nocifs pour la santé. Ces risques sont en soi assez reconnus pour que tout diététiste indépendant au Canada déconseille leur consommation. Mais le risque des gras trans n'est pas suffisamment élevé aux yeux du gouvernement et du lobby agroalimentaire pour justifier une interdiction. À elle seule, cette hésitation fait injure à la confiance que la population place dans ses élus.

L'intention affichée par le gouvernement canadien à l'automne 2004 d'interdire les gras trans est un gage d'espoir, mais est loin d'être un fait acquis : des délais considérables sont déjà prévus alors que la menace plane quotidiennement sur notre santé. La tolérance affichée par le gouvernement ne causera pas directement d'intoxication à court terme, mais elle entretient les maladies chroniques, ennemi numéro 1 de notre monde industrialisé. Elle tolère une substance douteuse de plus à notre soupe chimique corporelle, substance entre autres clairement reliée par la recherche aux troubles cardiaques.

À l'inverse, certains produits bénéfiques pour la santé ne seront pas recommandés si la hausse de leur consommation dessert l'industrie du sucre ou du bœuf. Une diète riche en viande rouge – comme neuf repas par semaine de bœuf, porc ou agneau, incluant les viandes préparées comme le bacon – élève de 50 % le risque de certains cancers colorectaux comparativement à une diète riche en poulet et poisson. C'est le journal de l'Association médicale américaine qui le dit (*JAMA*, janvier 2005). Pourtant, la pyramide alimentaire ne recommande nulle part une baisse de la consommation de bœuf. Qui donc leurre qui ?

Pour ce qui est des substances chimiques, il n'y a qu'à regarder l'hésitation de Santé Canada à émettre un avis de prudence relativement au bois traité à l'ACC pour comprendre que le gouvernement ne veut pas se mouiller. Alors que l'industrie annonçait son intention d'interrompre la fabrication du bois traité à l'ACC à compter de 2004, geste qui implique des coûts et des difficultés majeures, Santé Canada ne jugeait pas fondé d'émettre un avis de prudence ! Un tel avis aurait attesté de l'existence d'un tort, donc d'une responsabilité justifiant d'éventuels recours. On nage dans la bouffonnerie la plus pure. Ce n'est pas très encourageant de réaliser après coup qu'un gouvernement qui prétend surveiller nos intérêts se laisse indûment influencer par les industries qui financent sa réélection.

Le contexte canadien actuel invite à vérifier l'indépendance des autorités émettant des avis et il est légitime de questionner les conseils alimentaires de Santé Canada. En général, l'enjeu posé par l'omniprésence légale de substances chimiques douteuses justifie la recherche d'avis indépendants qui s'appuient sur des études de qualité. Le Environmental Working Group des États-Unis est une source majeure de tels avis bien documentés, la fondation associée au Canadien David Suzuki en est une autre.

Secret industriel : 1 / Santé publique : 0

La science ne possède pas de filet qu'il suffirait de plonger dans la matière pour ramasser les substances chimiques qu'elle recherche. De fait, avant d'entreprendre l'analyse d'un produit ou d'un site, les chercheurs doivent avoir une idée que ce qu'ils recherchent. Malheureusement, les industriels, sous prétexte de ne pas révéler leur secret de fabrication, refusent en règle générale de divulguer le contenu des produits révolutionnaires qu'ils mettent en marché.

Les fabricants soutiennent que le secret commercial est essentiel pour se protéger de la concurrence. Les laboratoires de recherche indépendants n'ont donc pas accès à l'information permettant d'évaluer la présence d'une substance donnée dans la soupe chimique de la population.

Il n'est pas légitime que le secret commercial ait préséance sur la protection de la santé. Le secret commercial n'est que l'un des outils de commercialisation susceptibles de garantir un avantage compétitif à un fabricant. La propriété intellectuelle, la qualité du produit, du service et du marketing en sont d'autres, qui peuvent suppléer la dilution du secret commercial, d'autant plus que c'est notre santé qui est en jeu.

Il se passe quelque chose de similaire pour les médicaments. Un article du *Journal de l'Association médicale canadienne* de février 2004 blâmait les compagnies pharmaceutiques et Santé Canada du fait qu'une compagnie peut réaliser divers essais cliniques pour un médicament sans pour autant être obligée d'en diffuser les conclusions. Ainsi, des médicaments au mieux inutiles, au pire dangereux peuvent se retrouver en vente dans les pharmacies.

En janvier 2005, le même journal précisait en éditorial : « L'importance accordée ces jours-ci aux partenariats avec l'industrie et à l'approbation rapide est contraire aux attentes de la population, qui croit que ces agences [Santé Canada et Food and Drug Administration] existent pour la protéger, n'approuvant que des médicaments dûment mis à l'essai et jugés sans risque grave. »

En l'absence d'informations précises, des chercheurs indépendants, avec des moyens sans commune mesure avec ceux de l'industrie, assemblent l'information permettant de contrôler quelques-unes des nombreuses substances chimiques à risque sur le marché. Il s'agit d'une recherche longue et ardue qui peut prendre des dizaines d'années. En Europe, on dit que seulement 1 % des substances fait l'objet de tests suffisants.

Entre-temps, la population continue d'être utilisée comme cobaye inconscient au service d'une sorte de gigantesque expérience mise en œuvre par la vente de milliers de substances à risque. La santé financière de l'industrie a toujours préséance sur la santé de la population.

L'industrie chimique exerce un contrôle réellement serré sur l'ensemble de l'information entourant la nature, la toxicité et la diffusion des substances qu'elle commercialise. Les rares substances qui ont été étudiées à fond l'ont été le plus souvent parce que des chercheurs ont buté accidentellement sur les catastrophes qu'elles ont pu causer en polluant le milieu ou la population.

Par exemple, trois ans après que 3M eut retiré du marché les substances perfluorées contenues dans la protection de tissu Scotchgard, le Center for Disease Control américain ne possédait toujours pas, en 2003, l'information qui lui aurait permis de retracer les substances de la nouvelle formule Scotchgard dans la soupe chimique des gens. Un produit de consommation courante se révèle assez douteux pour être retiré du marché après des décennies de recherche, mais les chercheurs ne disposent pas des informations nécessaires pour évaluer dans quelle mesure la nouvelle version de ce produit est plus sécuritaire, trois ans après sa commercialisation. Le processus de recherche doit partir de zéro.

Il s'agit d'une énormité et ce n'est en aucun cas un exemple isolé : ce serait plutôt la règle. Entre le moment où une substance est créée et celui où elle est testée, il peut s'écouler des dizaines d'années pendant lesquelles la population sert, bien malgré elle, de cobaye à l'industrie.

Soyons réalistes : étant donné les dangers qu'elle représente, jamais on n'autoriserait une expérience avec 75 000 substances médicamenteuses. C'est parce qu'elles viennent de sources agricoles et industrielles que les substances chimiques ne sont pas soumises à l'évaluation minimale requise pour protéger notre santé. Ces substances aboutissent pourtant tout autant que les médicaments dans nos corps.

Deux exemples de magouilles chimiques

Pour parler de l'impact de la primauté du secret industriel sur la santé publique, reprenons l'exemple de 3M et de sa protection de tissu Scotchgard. On parle ici d'un produit partout utilisé avec enthousiasme.

Commercialisé durant les années 1960, des recherches de toxicité ont été effectuées au début des années 1970, puis suspendues jusqu'aux années 1990. L'omniprésence d'une molécule du Scotchgard est constatée dès les années 1970 dans la soupe chimique corporelle de la population : on la retrouve dans les banques de sang. À la même époque, on suggère un lien possible entre cette substance et des troubles du système reproducteur affectant des animaux nouveau-nés.

3M affirme que les composants chimiques du Scotchgard n'ont jamais présenté de risque pour la population, mais décide tout de même de les retirer du marché en 2002 à l'instigation de la Environmental Protection Agency. On peut sensément se demander pourquoi ! Pareil geste ne se justifie, pour un fabricant, que si les coûts futurs ou possibles d'un produit aussi populaire surpassent les gains majeurs qu'il peut générer. 3M possède-t-elle des informations non divulguées sur les risques pour la santé publique de son ancienne formule ? On ne peut que constater une contradiction manifeste entre les dires et les actes de 3M. Certains avocats rattachés à la compagnie ont là d'excellentes raisons d'être sur les dents à l'idée des recours qui pourront éventuellement être intentés contre leur cliente.

L'analyse de documents internes de l'industrie a permis d'établir que le manufacturier 3M du Scotchgard possédait depuis près de trois décennies de nombreuses indications, tout comme DuPont et d'autres, selon lesquelles les substances PFC et PFOA contenues dans la protection pour tissus avaient contaminé le sang de la population aux États-Unis. Comme dit le Environmental Working Group, la raison pour laquelle et la manière avec laquelle ces compagnies ont ignoré de tels signaux d'alerte constituent un des chapitres les plus troublants de la tragédie de la pollution par les PFC et PFOA.

D'ailleurs, DuPont a été confrontée en 2004 à des poursuites judiciaires pour avoir caché certaines informations, poursuites engagées par le gouvernement américain à la suite d'une requête du Environmental Working Group en avril 2003.

Les informations cachées concernaient les substances PFC et PFOA omniprésentes dans les produits antiadhésifs comme la protection de tissu façon Scotchgard, mais aussi comme le téflon des poêles et les protège-tapis. Plus précisément, DuPont a gardé secrets durant plus de vingt ans les résultats d'une étude de 1981 concluant que deux enfants sur sept des employées de la compagnie exposées aux PFOA avaient affiché des défauts de naissance. Les résultats d'une autre étude de 1984 montraient une contamination aux PFOA de l'eau potable d'une localité en Ohio, attenante à une usine et à ses rejets.

Rendus publics il y a vingt ans, les risques sérieux posés par les PFOA auraient alerté beaucoup plus tôt la Environmental Protection Agency et les autorités canadiennes. DuPont a dû débourser, à l'automne 2004, plus de 300 millions de dollars aux personnes dont l'eau avait été contaminée en Ohio. Une goutte d'eau dans la mer des réclamations auxquelles sont exposés les fabricants.

Un tel scénario n'est pas l'exception, selon des enquêtes indépendantes. L'industrie n'a tout bonnement pas avantage à publier de tels résultats si on analyse comment la loi est faite à l'heure actuelle. C'est la santé publique qui en pâtit sévèrement.

À noter que ce sont souvent les travailleurs qui sont les premiers exposés aux substances qui iront polluer la population par la suite. Ce sont les monteurs de poteaux qui sont à l'origine du retrait du bois traité à l'ACC, comme nous le verrons plus loin. Défendre la santé des travailleurs et celle de la population contre la pollution chimique, c'est un tout.

Plus près d'ici, neuf ex-employés de la Noranda ont entamé des recours pour négligence criminelle après avoir contracté une maladie pulmonaire incurable, maladie reliée au béryllium auquel ils ont été exposés au travail. Les ex-employés soutiennent que la compagnie connaissait les dangers reliés à cette substance. Malgré les évidences, malgré leur fragilité liée à la maladie, ils ont dû s'infliger la lente et longue procédure qui a éventuellement mené, en août 2003, à l'étape de sa saisie par la Sûreté du Québec dans le cadre d'une poursuite au criminel.

Autre exemple de magouille, un processus similaire à celui du Scotchgard vient d'inciter l'industrie du bois à cesser la fabrication du bois traité à l'arséniate de cuivre chromaté (ACC) depuis 2004. On a le goût spontanément de féliciter l'industrie pour s'être autorégulée. Ne devrait-elle pas plutôt être poursuivie en justice pour avoir, durant des décennies, mis en danger la population faute d'avoir testé la sécurité de ses produits ? Les fabricants de véhicules automobiles, eux, s'exposent pourtant à de sévères poursuites et amendes dès qu'un défaut de leur produit met la population en danger.

Parmi les 75 000 substances déjà enregistrées et les 2 000 nouvelles qui le sont chaque année, Scotchgard et le bois ACC ne sont que deux exemples du dysfonctionnement qui affecte le cœur même de l'industrie chimique. L'industrie a géré les progrès apportés par les substances qu'elle a créées depuis cinquante ans, mais elle n'a pas encore commencé à gérer sérieusement la majeure partie des risques graves directement associés à ces progrès.

À moyen et à long terme, l'industrie chimique s'expose par sa négligence à des poursuites totalement méritées qui peuvent la ruiner, après avoir ruiné la santé et le bien-être d'une part trop grande de sa clientèle. Cela ne fait aucun sens : quelqu'un dort à la roue...

À combien de poursuites semblables à celle des citoyens de Birmingham en Alabama l'industrie pourra-t-elle survivre ? Ces gens ont obtenu à l'été 2003 une compensation de 1 milliard de dollars canadiens de la part d'une filiale de Monsanto après avoir démontré que ses dirigeants avaient continué d'opérer leur usine de BPC tout en connaissant les dangers auxquels ils soumettaient la population environnante.

Il en va de même pour l'industrie de la malbouffe des États-Unis. Au printemps 2003, elle faisait mousser la présentation d'un projet de loi qui la protégerait contre d'éventuelles poursuites par des consommateurs dont la santé serait menacée par l'ingestion de mets à risque. De telles poursuites ont beau arracher un sourire condescendant aux personnes assez aisées et instruites pour se protéger de la malbouffe, elles attestent de la fragilité des autres, qui sont l'objet des manipulations marketing d'industries puissantes. C'est parce que l'industrie réalise sa propre fragilité éventuelle devant les cours de justice qu'elle s'empresse aujourd'hui de susciter des projets de loi parapluie comme celui de la malbouffe.

Un autre projet de loi, présenté au printemps 2003 par les alliés républicains de l'industrie, exonérerait l'industrie militaire de toute poursuite reliée au perchlorate qu'elle a pu disséminer dans l'environnement. Le perchlorate attaque la thyroïde et la production hormonale, et peut surtout affecter le fœtus des mères contaminées. On en a retrouvé des traces importantes dans la grande quantité de laitues icebergs qui provient, six mois par année, de la région irriguée par le Colorado : région où est concentrée l'industrie militaire utilisant le perchlorate.

L'industrie chimique états-unienne fonce à 100 milles à l'heure dans un mur – les kilomètres, c'est au Canada ! – et combat bêtement ceux qui disent qu'accélérer n'est pas une solution. Elle ne tarde que trop à réaliser à quel point il sera profitable de changer son approche. L'or bleu de la révolution du même nom existe bel et bien : il est fait de substances chimiques utiles et sécuritaires. Une substance chimique non sécuritaire ne constitue pas une innovation ou un progrès mais bien un cancer, plus ou moins latent, pour la santé publique.

Le principe de précaution

L'unique solution stratégique au risque engendré par la révolution chimique passe par une logique de précaution à l'opposé de la logique de négligence actuellement empruntée en Amérique du Nord.

Ne cachez plus ce risque que je saurais voir

On a bien vu que, contrairement à la croyance populaire et aussi incroyable que cela paraisse, parmi les 75 000 substances créées qui entrent dans la composition de nombreux produits que nous utilisons quotidiennement, seule une minorité a fait l'objet d'études de sécurité suffisantes.

L'industrie expose la population à ces substances en les diffusant, puis attend les alertes sanitaires en jurant de sa bonne foi. En cas d'alerte, comme pour la protection de tissu Scotchgard et le bois traité à l'arséniate de cuivre (ACC), les substances sont retirées du marché. Sans plus.

La question de savoir s'il est vraiment légal de vendre des biens toxiques durant des décennies reste en suspens. Il n'est pas insensé de questionner aussi la légitimité d'abandonner aux gouvernements et à la population la facture des soins reliés aux troubles de santé qu'ont pu causer ces mêmes biens toxiques.

C'est pourquoi décider d'adopter des mesures contre un produit possiblement ou probablement toxique sans attendre d'avoir la certitude de sa toxicité relève de ce qu'on appelle le principe de précaution. Subtilité complémentaire : ne pas attendre, en plus, d'obtenir la certitude de l'innocuité d'une substance avant de l'autoriser relève de ce qu'on appelle un principe de précaution raisonné. La certitude de l'innocuité étant aussi longue à établir que celle de la toxicité, la seule possibilité ou la probabilité de l'innocuité suffit à protéger la population : elle n'impose pas de délais inutiles avant l'utilisation de la substance. En somme, il importe tout autant de ne pas s'exposer à des dangers inutiles que de ne pas se condamner à l'impuissance par excès de prudence.

Pour évident qu'il paraisse, le principe de précaution ne fait son chemin que depuis une vingtaine d'années, alors que le gouvernement allemand décidait de réglementer les rejets industriels que l'on soupçonnait d'être reliés aux pluies acides. Ce principe peut être très utile puisqu'en son absence, comme c'est le cas actuellement, ce qui est légal peut s'avérer dangereux.

En matière de santé et d'environnement, l'Union européenne impose un cadre juridique beaucoup plus élaboré et coercitif que celui de l'Amérique du Nord avec l'accord de l'ALENA. En Europe, c'est l'esprit du principe de précaution qui tend à inspirer la définition d'un risque acceptable. Ce qui explique la différence de politique quant aux OGM, par exemple. Et les États-Unis errent quand ils prétendent que l'argument de précaution n'est qu'une stratégie protectionniste déloyale en faveur des producteurs européens. Le principe gouvernant la gestion des risques posés par les substances chimiques soulève un défi majeur : « Les scandales et les échecs répétés [...] incitent à des réflexions importantes concernant [...] les décisions d'éliminer et de contrôler ces risques. » (*Environnement et santé publique,* 2003.)

La précaution n'est pas moins utile pour gérer les risques provoqués par les polluants industriels mieux connus. Comme exemple, Hannah Holmes (*The Secret Life of Dust, op. cit.*) souligne que la très officielle Environmental Protection Agency (EPA) des États-Unis finance une poignée d'institutions (dites sans prétention, pour dire petites) vouées à mobiliser des appuis scientifiques en faveur de lois plus strictes contre la poussière dans l'air extérieur. Rivières et courants de poussière transfrontaliers qui balaient la planète font que ces standards influent directement sur la qualité de l'air au Canada.

Les premières limites édictées par la EPA en 1987 (baptisées PM-10) ciblaient les poussières dans l'air mesurant 10 microns – jugées à ce moment assez petites pour se faufiler dans les poumons. Dix années plus tard, en 1999, on estimait encore que quelque 30 millions d'Américains des grandes villes et des États plus arides respiraient toujours un air excédant l'empoussièrement PM-10.

Or une étude déterminante de Harvard a estimé entretemps que des dizaines de milliers de gens meurent chaque année aux États-Unis à cause d'une poussière plus fine. Un nouveau standard (PM-2,5) de qualité de l'air ciblant les poussières de 2,5 microns a donc été édicté en 1997, avec une concentration au mètre cube moitié moindre que la précédente.

Le Midwest industriel et l'industrie du camionnage – camionnage dont l'alimentation au diesel produit 30 % de la poussière fine urbaine – ont poursuivi la Environmental

Protection Agency (EPA) devant les tribunaux pour défaut de preuve établissant que la poussière tue. Une cour fédérale a décidé de bloquer le nouveau standard de la EPA, laquelle a relancé les chercheurs de poussière dans leur quête d'un lien de cause non seulement épidémiologique mais biologique.

Or les polluants des véhicules sont bel et bien désignés par une recherche croissante comme reliés à des troubles allant du cancer aux troubles pulmonaires et cardiaques. Le gouvernement fédéral ne qualifie-t-il pas lui-même la poussière émanant des moteurs diesel de cause « hautement probable » de cancer. Une agence de la pollution de l'air en Californie va jusqu'à estimer que la suie de diesel cause près des deux tiers des risques de cancer par les polluants de l'air à Los Angeles. Hélas, une accumulation d'évidences, donc de probabilités, ne démontre pas le lien biologiquement certain entre un polluant et une maladie.

Si le principe de précaution faisait force de loi, la seule probabilité d'un lien de cause à effet aurait permis au tribunal de conclure sans hésiter en faveur de la EPA – laquelle, rappelons-le, défend notre santé et celle de nos proches contre la santé à courte vue des intérêts commerciaux.

La cour aurait pu interdire à l'industrie du camionnage d'utiliser la population comme cobaye en attendant de savoir si les polluants du diesel causent bel et bien des dommages irréversibles à la santé. Mis au fait d'une telle pollution de leur corps par des substances douteuses – et de ses risques –, les gens pencheraient-ils du côté du juge et de l'industrie du camionnage ou du côté de la EPA ? Poser la question, c'est y répondre. Seuls les bruits et la confusion d'un monde devenu complexe permettent à l'industrie de s'en tirer… à court terme.

Après s'être pourvue des appels à sa disposition, la EPA a obtenu gain de cause en 2002. Ce n'est qu'à l'été 2004 qu'elle a enfin commencé à émettre ses nouvelles directives pour les zones ne répondant pas au standard PM-2,5. Les instances gouvernementales auront trois ans pour indiquer comment elles comptent agir pour satisfaire au PM-2,5. Ce qui nous reporte en 2008, pour un standard développé initialement en 1997. Durant la décennie écoulée, la population a fait les frais des tactiques dilatoires de l'industrie pour une réglementation qui de toute façon devait éventuellement prendre force.

Vingt-cinq pour cent de la pollution de l'air dans la région de Montréal tout au long de l'année vient de la zone industrielle du Midwest. À l'été, c'est 60 % du smog à Montréal qui provient de l'est et du Midwest des États-Unis.

Le principe de précaution n'exige pas un lien de « certitude » entre un polluant et un dommage, mais un lien de « probabilité ». Il permet ainsi de gérer le risque des substances douteuses en attendant que des recherches comme celles de la EPA apportent des preuves complètes – dans un sens ou dans l'autre. Il offre aussi l'avantage majeur de prévenir la sorte de dérapage auquel a donné lieu la révolution chimique.

Pour saisir la manière de faire canadienne, le saumon est un exemple intéressant. Parlant des motifs qui justifient Santé Canada de ne pas recommander la limitation de la consommation de saumon à la suite des études récentes sur sa contamination en BPC, le responsable de l'évaluation des produits chimiques pour la santé à Santé Canada ne laisse subsister aucun doute quant à la politique en cours au pays : « On sait que les BPC peuvent nuire au développement des enfants, et avoir des effets sur le système immunitaire et reproducteur. Mais sont-ils cancérigènes ? Certaines études disent que c'est le cas et d'autres exactement le contraire ! [...] Et surtout, on n'a pas encore découvert de relation de cause à effet entre une faible exposition aux BPC, comme c'est le cas dans la chaîne alimentaire, et des problèmes de santé importants. » (*Protégez-vous*, août 2004, p. 19)

Avant d'intervenir, Santé Canada exige donc la certitude du lien entre un dérèglement physique et la présence d'une substance comme les BPC. Et le fardeau de la preuve repose sur la recherche indépendante sous-financée. Santé Canada ne peut fournir de preuve de l'innocuité des quantités minimales de BPC, ce qui pourrait tout aussi bien constituer son critère de décision. Elle présume plutôt de l'innocuité de toute substance tant que la certitude du contraire n'aura pas été établie. C'est un choix, mais ce n'est pas celui du principe de précaution.

Refuser le principe de précaution en arguant que nos sociétés connaissent une sécurité sans égale dans l'histoire ne protège pas contre la menace croissante de ces substances nouvelles créées par l'industrie. L'industrie chimique se déconsidère totalement en refusant de reconnaître l'ampleur de l'enjeu sanitaire façonné par les substances qu'elle commercialise.

La santé est un droit qui prime la liberté de commerce. Que « par précaution » l'industrie s'oppose avec véhémence au « principe de précaution », qualifié de rétrograde, démontre tout l'illogisme de cette opposition. La complexité du défi de l'application du principe de précaution ne devra en aucun cas servir d'écran à des manœuvres pour en désamorcer l'impact.

Le 24 juin 2004, les sénateurs français adoptaient un projet de loi visant à modifier la Constitution pour y introduire une Charte de l'environnement. Le principe de précaution s'y trouve confirmé comme valeur fondamentale, en même temps que le développement durable et la sauvegarde de l'environnement. Le projet ne deviendra loi que sur adoption ultérieure par référendum ou vote au Parlement.

L'opposition vigoureuse montée par l'industrie n'a pu bloquer l'affirmation de l'impératif que constitue la précaution, bien que cette opposition ait réussi à en temporiser la force contraignante dans le cas d'éventuels recours. Pour autant, le débat soulevé a permis que soit affirmée, haut et fort, l'urgence de protéger l'environnement contre la pollution. L'esprit du temps en prend bonne note.

Sans précaution, on n'a plus de mesure pour faire preuve de mesure.

Vieille Europe à l'avant-garde

Un projet du nom de REACH fut déposé à l'été 2003 par l'Europe pour transformer le cadre réglementaire entier présidant à la gestion des risques posés par les substances chimiques.

À cette occasion, la commissaire européenne à l'environnement et moteur du projet Margot Walstrom disait ceci devant les chefs d'État européens :

« Trente mille substances sont produites en Europe et l'industrie n'a pu fournir des données de sécurité que sur 5 % d'entre elles.

« À travers l'alimentation ou jusqu'au sein de leur logement, les citoyens et en particulier les enfants respirent ou ingèrent en permanence une soupe chimique impossible à caractériser. Cette situation contribue largement à l'explosion de troubles sanitaires inquiétants : allergies, difficultés respiratoires, troubles de la croissance, baisse drastique de qualité du sperme, cancers, et justifie une importante réforme de fond de la mise sur le marché des substances.

« Il est grand temps que les citoyens européens obtiennent le haut niveau de protection de l'environnement et de la santé qu'ils sont en droit d'attendre. »

Adopté par l'Union européenne le 29 octobre 2003, REACH devait initialement être ratifié et devenir loi à la fin 2005, mais des pressions ont reporté l'adoption à 2006.

REACH fait obligation à toute substance se révélant douteuse, selon les informations de base divulguées, de démontrer son innocuité avant d'être autorisée, et ce, aux frais du fabricant. Il s'agit d'une révolution.

REACH répond en somme à des préoccupations largement répandues dans la communauté scientifique, souligne l'éminent toxicologue français Jean-François Narbonne : « Cela fait longtemps que nous voulons alerter l'opinion publique, mais nos rapports finissaient toujours par échouer dans un tiroir. » (*Le Nouvel Observateur*, 30 septembre 2004.)

Parmi les 30 000 substances visées par REACH et caractérisées par un volume de commercialisation supérieur à 1 tonne, environ 10 % sont considérées comme assez préoccupantes pour que leur élimination permette des économies substantielles en frais de santé. Le système sera progressivement mis en œuvre sur une période de onze ans.

Qu'en 2005 Santé Canada continue de se porter garante, sans plus, de l'innocuité des 10 % de substances qualifiées de « hautement préoccupantes » par REACH démontre sans conteste que la sécurité de la population n'est pas sa priorité. En somme, Santé Canada devrait dès à présent être désignée pour ce qu'elle est : Santé *industrielle-à-courte-vue* Canada. Santé *publique* Canada est un ministère à inventer.

Sans nommer le principe de précaution, qui soulève des controverses, REACH tranche et respecte l'esprit de la précaution. Et ce qui est bien, c'est que l'obligation faite aux importateurs de respecter REACH a des chances d'exercer une influence considérable sur l'amélioration de la sécurité des substances chimiques de par le monde.

Le United States Council for International Business (USCIB) attestait de l'impact de REACH en déclarant, en juillet 2003 : « Il n'y a probablement pas un seul produit ou service qui ne sera pas touché de quelque façon par cette directive. » (Traduction de l'auteur.)

Les évaluations des promoteurs de REACH parlent de coûts directs pour l'industrie et les utilisateurs s'élevant entre 3,7 et 8,3 milliards de dollars canadiens sur une période de onze ans, comparés aux ventes annuelles du secteur s'élevant à 830 milliards de dollars canadiens. Les économies prévues en coûts de santé et perte de productivité s'élèvent à 453 milliards de dollars canadiens – l'équivalent d'environ 1 678 dollars canadiens par personne. Une telle évaluation ne peut prendre en compte que les dommages en partie connus par la recherche : on ne connaît rien du risque cumulatif et croisé posé par une grande part des substances.

Les maladies professionnelles évitées s'élèveraient entre 29 et 86 milliards de dollars canadiens sur trente ans (affections respiratoires, maladies de la peau, troubles oculaires, maladies du système nerveux central et différents types de cancers). Ce qui correspondrait pour le Canada à des épargnes de 2,9 à 8,6 milliards de dollars canadiens.

On calcule que les coûts afférant à la décontamination de l'environnement peuvent largement dépasser les coûts encourus pour évaluer la sécurité des substances avant qu'elles aillent le contaminer ainsi que nos corps.

Le lobby industriel français proteste que REACH causerait une baisse de production de 10 à 30 % dans les secteurs plus concernés que sont la peinture et les cosmétiques. Peut-être. Est-ce que nous parlons là de biens essentiels ? Un cosmétique cancérogène est-il autre chose qu'un... cancer pour la société ?

L'argument des pertes d'emplois ne tient pas plus la route puisque ces emplois seront remplacés, ailleurs, par des emplois avec des technologies propres. Les besoins de la population et la demande de biens ne disparaissent pas.

REACH est une législation à ce point majeure pour l'enjeu des substances chimiques que les groupes écologistes se méfient de toute ouverture par laquelle l'industrie pourrait se faufiler pour se désister.

REACH affirme que ne seront éliminées que les substances dont les risques ne peuvent être gérés. Les substances dont les risques peuvent être gérés ne pourront être éliminées, même s'il existe des alternatives, que par un boycott des consommateurs. Ce n'est pas l'idéal : les écologistes ont raison de militer pour obtenir l'idéal.

En outre, seules sont visées les 30 000 substances de plus de 1 tonne, lesquelles représentent 90 % du volume des substances utilisées. En nombre, par contre, pas moins des deux tiers des substances échappent à REACH, ce qui est un motif d'inquiétude certain pour les écologistes.

Vu d'Amérique, on serait porté à saluer le boulot accompli par Margot Wallstrom. L'Union européenne se dotera du système de gestion des produits chimiques le plus avancé au monde et l'impulsion provoquée par cette législation suffira peut-être à développer un plus large consensus sur l'urgence d'en combler les lacunes.

À l'encontre de son voisin américain, le Canada a su affirmer qu'il était possible et nécessaire de se protéger de la menace irakienne autrement que par une guerre unilatérale. Le Canada saura-t-il faire preuve d'autant de sagesse et d'indépendance face à la menace chimique en se rangeant à nouveau du côté de l'Europe ?

Fausse rationalité de Monsanto

C'est au nom du principe de précaution que l'Europe n'a pas accepté d'emblée les OGM, au grand dam du groupe agroalimentaire américain Monsanto. Le responsable scientifique à Monsanto critique le recours au principe de précaution en affirmant qu'il peut nous priver d'innovations autrement plus bénéfiques que les risques qu'elles engendrent.

C'est un argument valable. Mais il serait intéressant que Monsanto l'appuie avec les études nécessaires. Car en l'absence de recherches confirmant son hypothèse voulant que la sécurité soit un obstacle au progrès, Monsanto fait preuve de la même absence de rationalité qu'elle dit percevoir chez les défenseurs de la précaution.

En réalité, Monsanto ne peut appuyer ses dires puisque les études n'existent pas, pas plus qu'il n'existe d'études suffisamment documentées sur la sécurité d'une vaste majorité des substances chimiques. Dans un tel contexte, sachant qu'un grand nombre des substances aboutissent dans la soupe chimique de l'environnement et des personnes, la crainte raisonnable de dommages irréversibles incite tout esprit rationnel à la précaution – c'est-à-dire au contrôle, voire à l'interdiction, de ces substances.

Lorsqu'il s'agit de produits à risque comme les substances chimiques de synthèse, affirmer, sans aucune étude pour s'appuyer, que l'absence de recherches établissant la nocivité d'une substance suffit pour légitimer sa commercialisation est rationnellement impossible à défendre. Commercialiser une substance à risque non testée, comme le propose Monsanto, revient à faire de l'environnement et de la population les cobayes de l'expérience sur la nocivité de cette substance.

Selon Monsanto, il est donc tout à fait légitime de tester la nocivité de ses créations sur la population, tout comme l'industrie chimique le fait depuis le début de la révolution chimique, quitte à s'ajuster éventuellement si des effets nocifs apparaissent. De notre côté, nous y laissons notre santé et nous engloutissons des sommes colossales dans notre système de santé.

L'industrie chimique

L'American Chemistry Council, le bras commercial de l'industrie américaine, critique la précaution européenne en affirmant que l'Europe veut éliminer tout risque de la vie. Il serait plus précis et plus juste de dire que l'Europe veut éliminer tout risque de dommages irréversibles engendrés spécifiquement par les substances chimiques non testées.

C'est en ce sens que le programme REACH voté par l'Europe en octobre 2003 stipule que toutes les substances chimiques susceptibles d'être assimilées dans l'organisme des gens et des animaux feront l'objet de tests.

Au vu de ces faits, la position européenne paraît responsable et sophistiquée. La position du Chemistry Council américain, de son côté, paraît plutôt dictée par l'intérêt de cadres qui sont évalués, à court terme, sur les résultats financiers trimestriels de leurs compagnies.

Il serait temps que les investisseurs institutionnels, en tant que gestionnaires des fonds de retraite d'une majeure partie de la population, dictent à l'industrie chimique des comportements corporatifs socialement plus responsables. L'irresponsabilité des cadres délinquants de l'industrie chimique met même à risque le développement durable de leurs propres corporations, elles qui vont se retrouver bientôt ensevelies sous des poursuites pires que celles qui secouent l'industrie du tabac et de l'amiante.

L'industrie canadienne

À la suite des États-Unis, le Canada a porté plainte auprès de l'Organisation mondiale du commerce (OMC), au printemps 2003, contre le refus de l'Europe d'autoriser les OGM sans s'appuyer sur une évaluation scientifique du risque. Dans le contexte de la révolution chimique des cinquante dernières années, la plainte du Canada est injustifiable à au moins deux titres.

En premier lieu, le principe dit « de précaution », qui fait partie du cadre réglementaire européen, permet d'adopter des mesures de protection sans attendre d'avoir la certitude d'un dommage irréversible. En attendant les études de risque, qui peuvent exiger des années, les autorités européennes ont le pouvoir d'agir par mesure de précaution en contrôlant la commercialisation de toute substance.

En second lieu, si les États-Unis et le Canada affirment que les OGM ne présentent aucun risque à long terme, ils devraient pouvoir présenter les études de toxicité chronique, cumulative et croisée l'attestant. De telles études enlèveraient, sans réserve, toute légitimité à l'argument de précaution européen.

Or ces études exigent du temps, et le temps est précisément ce que veut épargner l'industrie des OGM, appuyée par le Parti républicain, qui dirigeait, au printemps 2003, les États-Unis. L'empressement logique de l'industrie à vouloir tirer profit de toute occasion offerte par les avancées technologiques n'a aucun droit de préséance sur le droit inaliénable de la population à refuser les avancées qui menacent sa santé et l'environnement.

Au moment de déposer la plainte canadienne auprès de l'OMC, le ministre canadien du Commerce international, Pierre Pettigrew, affirmait que le moratoire européen sur les OGM n'était fondé sur aucune évaluation scientifique du risque. « Je ne peux comprendre que l'Europe, qui a donné la modernité à l'humanité il y a quatre cents ans, peut tasser la science de côté et dire : ce n'est plus la science qui doit mener, mais ce seront les préjugés de l'un ou l'autre, ou la sensibilité de l'un ou l'autre. » (*La Presse*, 15 mai 2003.)

Voyant sans doute là l'occasion de faire étalage de sa culture devant une vieille Europe indigne de son héritage, le ministre canadien a surtout démontré qu'il n'est guère en phase avec les enjeux cruciaux de son temps.

Le principe de précaution est en réalité le dernier fleuron de la recherche en gestion de risque. En laissant voir un pan de sa chemise, le ministre canadien illustre surtout le haut niveau de pollution qui affecte la réflexion canadienne par la perspective mercantile de l'industrie chimique nord-américaine.

Un autre exemple de la manière canadienne. Toujours en mai 2003, des scientifiques fédéraux recommandaient que le Canada agisse comme certains pays européens et interdise la récupération des restes d'abattoirs pour l'alimentation des animaux. Mais le vétérinaire à la tête de l'Agence canadienne d'inspection des aliments affirmait, au début de 2004, que cette interdiction ne reposait sur aucune preuve scientifique. Selon la logique de ce vétérinaire en chef, en l'absence de certitude scientifique quant à la nocivité des restes d'abattoirs, on doit s'interdire d'agir.

Pendant ce temps, l'Europe s'accorde ce droit parce que la logique de la précaution affirme qu'il est indiqué de le faire en présence d'une possibilité ou d'une probabilité de dommages irréversibles, solidement documentée par la science.

Les deux logiques s'appuient sur la science, n'en déplaise au vétérinaire en chef. Plus encore, la logique de la précaution s'appuie sur la recherche la plus avancée en ce qui concerne la gestion des substances à risque. La logique du laisser-faire défendue par le vétérinaire en chef est celle qui a présidé au dérapage de la révolution chimique avec, à la clé, la pollution de nos corps et la prolifération des troubles de santé chroniques.

La *Loi canadienne sur la protection de l'environnement,* entrée en vigueur en mars 2000, a d'ailleurs déjà commencé à reconnaître, dans son préambule, la nécessité de s'appuyer sur le principe de précaution pour protéger l'environnement et la santé humaine. Il ne reste plus qu'à passer de la parole à l'acte. Et ça, ça s'appelle la révolution environnementale, la « révolution bleue ».

Le Bureau de la consommation à Industrie Canada a lui-même produit une étude (Nakache, 2003) sur la pertinence pour le consommateur du principe de précaution en sécurité alimentaire. On y constate que la précaution constitue une norme juridique indépendante qui mérite d'être appliquée à tout ce qui concerne la santé publique et l'environnement. On précise que le principe de précaution devrait être appliqué en droit civil, de façon à garantir qu'un citoyen sera dédommagé s'il encourt des dommages reliés à une activité à risque. Sa recommandation finale est l'adoption officielle du principe de précaution, qu'elle juge représenter une « réelle avancée démocratique de la société ». Il ne manque plus qu'une étude comparative des impacts respectifs propres au principe de précaution et au principe du cobaye.

Certains diront que le débat porte sur le niveau de risque auquel on considère moral que la population soit exposée. Les plus timorés se rangeraient du côté des mesures restrictives qui verseraient dans la surprotection. Les tenants plus audacieux du progrès se rangeraient du côté du risque inévitable associé à la vie en général et au développement d'une industrie chimique dynamique en particulier. Le principe de précaution et l'Europe incarneraient l'esprit de surprotection, le laisser-aller bon enfant de l'industrie nord-américaine, le dynamisme.

Ce que nous apprend tout d'abord la recherche en santé environnementale, c'est que les dizaines de milliers de substances créées par la révolution chimique des cinquante dernières années n'ont même pas été suffisamment testées pour connaître leur niveau de risque, et ce, parce que les budgets de la recherche indépendante sont, par définition, insuffisants devant l'ampleur d'une tâche qui ne cesse de grandir. Continuer d'accepter d'être exposé à ces substances sans contrôle relève de l'inconscience, non du dynamisme. Du moins est-ce l'avis de la Communauté européenne, qui a voté, en octobre 2003, le programme REACH pour assurer que ces tests soient enfin effectués – aux frais de leurs fabricants respectifs, de façon à en finir avec le sous-financement de la recherche.

Second facteur que nous apprend la recherche en santé environnementale, les évaluations faites sur une minorité des substances pour lesquelles nous disposons de certaines connaissances ne tiennent pas compte que, dans les conditions réelles, nous sommes exposés à plusieurs sources d'un même polluant et non à une seule comme le saumon avec les BPC. De plus, ces évaluations n'évaluent absolument pas l'effet croisé des centaines de substances qui aboutissent dans nos corps. Dans un tel contexte, se protéger de substances douteuses – toute substance chimique soulève des doutes – ne relève pas de la surprotection, mais d'un bon sens que seule l'industrie semble incapable de comprendre.

La Ville de Toronto a elle-même cru bon d'y aller de quelques principes qui, à défaut d'avoir force de loi, présentent l'avantage de délimiter le territoire.

Toronto

Le principe de précaution : lorsqu'une activité crée des risques de dommages pour la santé humaine ou l'environnement, des mesures de précaution doivent être prises même si certaines relations de cause à effet ne sont pas pleinement établies scientifiquement.

Le poids de la preuve : quand on cherche à évaluer les risques sanitaires associés à un produit, tous les résultats combinés de nombreux types de recherche ayant étudié les dommages ou les dommages potentiels doivent être intégrés.

La prévention : il est moins coûteux et plus efficace de prévenir les dommages environnementaux et sanitaires que de tenter de les gérer ou de les traiter.

Des stratégies pour une transition équitable : les travailleurs et les populations ont le droit de bénéficier à la fois de la sécurité économique et d'un environnement sain pour eux-mêmes, leurs familles et pour les générations futures. Ils ne devraient pas avoir à choisir entre le paiement des factures et leur propre santé, ou celle de leurs enfants.

Le droit de savoir : les gens ont le droit de connaître les risques environnementaux et professionnels auxquels ils sont exposés, et le droit de participer aux décisions qui concernent leur santé.

Plan ZéroTOXIQUE

Est-il alarmiste de crier à l'urgence vis-à-vis de la pollution dans nos corps ? L'industrie du bois ne le pense pas, puisqu'elle a jugé avoir des raisons assez fortes pour justifier le retrait d'un produit qui a fait sa fortune durant deux décennies, le traitement à l'ACC (arséniate de cuivre chromaté).

Un géant industriel comme 3M ne le pense pas, puisqu'il a accepté de retirer, sous la pression de la Environmental Protection Agency états-unienne, les substances actives de son protège-tissu Scotchgard, les PFOA. Cette formule a fait la fortune de 3M à travers le monde durant trois décennies et il fallait à tout le moins des raisons substantielles pour la retirer.

Le gouvernement du Québec et la Ville de Montréal ne le pensent pas puisque, en 2003, ils ont mis en place un contrôle sévère de l'usage des pesticides diffusés à tout-va pendant des décennies.

La Californie ne pense pas non plus qu'il est alarmiste de faire preuve de précaution envers des substances chimiques qui contaminent l'environnement et la nourriture. Elle a une loi obligeant commerces et restaurants à afficher le niveau de mercure contenu dans les poissons offerts à la carte, parce que cette substance met à risque une partie significative de la population.

L'Europe ne le pensait certainement pas quand elle a interdit certains phtalates dans les cosmétiques, au début de 2003, substances qui sont toujours autorisées en Amérique.

Ces cas ne sont que les plus récents. Ils appartiennent aux rares substances testées plus à fond parmi les 75 000 en usage. En fait, il semble maintenant que ce que l'on va découvrir, avec l'éventuelle évaluation obligatoire de toutes les substances en Europe, aura un lien direct avec la croissance des troubles de santé chroniques, sans parler de l'impact destructeur que ces substances imposent à l'environnement. Est-il alarmiste de poser le pied au sol et de dire : « C'est assez » ? Toutes les recherches indépendantes de pointe répondent : « Non. »

Et l'Europe ne pensait certes pas que c'est alarmiste lorsqu'elle a adopté, en octobre 2003, le programme REACH pour garantir l'esprit de précaution dans l'étude et la gestion des substances chimiques. L'ampleur des bouleversements provoqués par REACH atteste de l'urgence qu'il y a à se donner un plan, un plan de précaution chimique : un plan ZéroTOXIQUE.

Réhabilitation du génie chimique

En l'absence d'un appareil réglementaire adéquat, nous constatons aujourd'hui une utilisation généralisée de substances chimiques à peine étudiées et n'ayant jamais existé auparavant. Il en résulte une pollution extensive et croissante de la population et de l'environnement par une soupe de milliers de substances aux impacts inconnus.

L'absence de contrainte pour l'industrie chimique s'est transformée en incitation financière à ne pas étudier la sécurité et la diffusion des substances relâchées dans l'environnement, puisque publier une information sur la toxicité d'une substance expose son fabricant à l'obligation de recherches complémentaires. S'ajoute à ce contexte un sous-financement chronique des agences gouvernementales devant superviser l'ensemble des enjeux liés à la sécurité des substances chimiques.

On trouve aujourd'hui des centaines de substances dans la nourriture, l'eau du robinet, l'air et la poussière des résidences. On les trouve dans la plupart des produits de consommation tels que cosmétiques, détergents, peintures, matériaux et traitements pour les tissus de vêtements, de tapis et de fauteuils. Toutes ces substances s'accumulent dans le sang, le gras et les organes. Elles se transmettent par tous les produits du corps : lait maternel, urine, excréments, sueur, éjaculât, cheveux, ongles.

Leur sécurité devrait sensément être testée à tout le moins comme l'est celle de tout nouveau médicament avant qu'il soit mis sur le marché, puisqu'elles aboutiront pareillement dans notre corps. Précisons que cette considération ne présume pourtant pas de la qualité du système d'évaluation des médicaments, qui aurait également besoin d'une sérieuse mise à niveau, selon certaines études récentes.

Comme pour les médicaments, par contre, c'est à l'industrie qu'il devrait revenir d'établir la sécurité des substances qu'elle commercialise et non aux gouvernements, qui ne pourront jamais rassembler l'argent requis. De toute façon, c'est la population qui paie. Mais selon le même principe de saine gestion qui régit les médicaments, les gains générés par la commercialisation des substances chimiques sont le bras qui doit financer l'ensemble des études de sécurité.

Le laisser-aller et la petite délinquance dans l'industrie chimique engendrent des dérapages allant jusqu'à la commercialisation de substances établies comme dangereuses par les recherches internes des producteurs. Une telle tendance lourde doit être inversée pour le bien de la population. Ce qui est chimique doit désormais être présumé « possiblement à risque » à moins de preuve contraire, preuve qu'il appartient à l'industrie d'établir.

En ce moment, les programmes et les études les plus solides pour évaluer l'enjeu de la pollution chimique dans nos corps ne couvrent qu'un peu plus de 200 substances et sont financés par le gouvernement et des fondations. La recherche, partout, est insuffisante, comme le constate le traité *Environnement et santé publique* (2003) : « [...] la surveillance en santé environnementale et santé au travail accuse en effet un net retard sur les autres domaines de la santé. [...] Le renforcement de la surveillance environnementale des principaux contaminants ayant un impact sur la santé humaine devrait également recevoir l'attention nécessaire des autorités environnementales. L'amélioration des outils et capacités de mesure de l'exposition humaine [...] devra aussi être priorisée. »

L'Initiative de recherche sur les substances toxiques (IRST) lancée par le gouvernement canadien avec un budget de 40 millions, en 1998, avait le mandat de financer les projets de recherche sur les effets nocifs des substances toxiques. L'IRST n'a pas reçu de financement pour l'exercice 2002-2003, malgré que l'on ne connaisse toujours à peu près rien sur une majorité des substances diffusées en Amérique par l'industrie.

Plutôt que de participer à l'effort de recherche souhaité par tous et de prouver sa détermination à gérer les risques de la révolution chimique, l'industrie n'a offert jusqu'à maintenant aucun financement. La seule contribution de l'industrie chimique à l'effort colossal requis pour établir une première évaluation minimale de la soupe chimique « populaire » a été de défrayer le coût d'une campagne de publicité défensive sur la sécurité de ses produits…

L'industrie chimique fonctionne en mode d'autodéfense contre les exigences de la sécurité. Pourtant, en attente de lois incisives, l'expérience démontre que cette industrie peut changer et qu'elle peut effectivement passer de l'autodéfense à l'autorégulation quand elle constate que la population est sensible à l'enjeu de la sécurité pour une de ses substances.

Il n'est pas obligé qu'il en soit ainsi. La campagne américaine pour un système de santé responsable face à l'environnement (Health Care Without Harm) a permis, depuis 1996, que les hôpitaux réduisent le volume et la toxicité de leurs rejets en surveillant achats, réutilisation, recyclage et décontamination sans incinération productrice de dioxines. Des milliers d'hôpitaux ont abandonné l'utilisation des thermomètres et jauges de pression au mercure. La plupart des grandes pharmacies ne vendent plus que des thermomètres sans mercure, à coût comparable.

Le pire obstacle à l'instauration d'un minimum de précaution dans la gestion des 75 000 substances créées par la révolution chimique est l'attitude de trouver normale, donc inévitable, l'énormité de la situation présente. L'enjeu est si considérable qu'il est difficile de ne pas baisser les bras, de ne pas s'égarer dans la forêt de ses manifestations. Le roi est pourtant bel et bien nu, et la révolution chimique dans le champ.

La pollution chimique de l'environnement et de nos corps s'apparente à un éléphant dansant une gigue sur un vert de golf. On a beau nettoyer ses traces à la pièce, il y en a sans cesse de nouvelles. Évidemment, l'éléphant serait plus à sa place n'importe où ailleurs. Rien ne sert d'épuiser nos ressources à nettoyer à la pièce les innombrables dégâts de la pollution chimique, il faut viser la source : le remplacement du principe du cobaye par celui de précaution.

Il faut tester les substances, évaluer leur diffusion dans l'environnement et la population (bio-monitoring), puis les contrôler ou les interdire selon ce que l'esprit de précaution nous dicte. Qu'est-ce qui empêche les hommes politiques de mettre en place une telle stratégie de précaution chimique ? Le professeur Dominique Belpomme *(Ces maladies créées par l'homme*, *op. cit.*), cancérologue réputé à la tête du plan français contre le cancer a une idée : « C'est l'économie, que l'on a mise avant la santé. [...] il est essentiel de se détacher des lobbies industriels pour agir dans l'intérêt de l'écologie et de la santé. » Le principe de précaution doit désormais avoir préséance sur ce qu'a dicté pendant trop longtemps à la population la santé financière de l'industrie et de certains cadres éthiquement irresponsables.

Aux États-Unis, à la fin de juin 2003, des sénateurs républicains et démocrates parvenaient à une entente sur le dédommagement des victimes de l'amiante, dédommagement devant être financé par l'industrie et les assureurs et géré par le gouvernement. Si l'entente était ratifiée, elle susciterait la création d'un fonds de dédommagement pour les centaines de milliers d'employés ayant entamé des poursuites judiciaires. Le montant du fonds s'élèverait de 70 à 170 milliards de dollars US, constituant le deuxième règlement en importance après celui de l'industrie du tabac en 1988 – 246 milliards de dollars US. C'est parce qu'elle est considérée comme une substance hautement cancérogène que l'amiante a fait l'objet de ces poursuites.

Ce genre de règlement démontre l'urgence pour l'industrie chimique d'apprendre à gérer avec transparence la sécurité des substances qu'elle commercialise. Autrement, elle devra apprendre très vite à gérer sa ruine sous l'avalanche des poursuites que lui vaudra le fait d'avoir exposé la population à de multiples substances à risque, sans son consentement.

Il est triste de voir ainsi une industrie entière menacée par les comportements de voyous de certains de ses gestionnaires, obnubilés qu'ils sont par les rendements à court terme de la Bourse et les primes qu'ils gagnent. Un plan de gestion de la sécurité des substances chimiques exige une perspective à long terme, seule garante du développement durable d'une industrie.

Voyous

En 1969, le docteur Samuel Epstein a offert son expertise pour faire éliminer le DDT et son remplaçant, le chlordane. Durant dix-huit mois, il a dû affronter sans relâche l'assaut d'une trentaine d'avocats et de soi-disant experts réunis à grands frais par l'industrie.

Un soir, autour d'un verre avec l'avocat principal pour la compagnie Shell, il demande à ce dernier de lui expliquer le motif de l'acharnement de l'industrie, puisque la bataille était perdue d'avance pour elle. L'avocat lui expliqua qu'il en coûtait environ 2,5 millions de dollars par année pour mener la bataille juridique, période durant laquelle la vente du chlordane rapportait 65 millions de dollars. *« It's time you grew up, Sam »,* il est temps que tu te réveilles, Sam. (Chernomas, mars 2004, p. 6.)

En ce début de XXIe siècle, la population, la santé publique et l'indispensable révolution environnementale ont elles aussi ceci à dire à l'industrie : « Il est temps que tu te réveilles, Sam ! » Comme pour son cousin Ali-CHIMIQUE, de Bagdad, les beaux jours de Sam-TOXIQUE sont derrière lui.

Les gestionnaires qui affichent des comportements de voyous ou de chats de ruelle s'entêtent à penser que la santé de la population est un facteur marginal, un irritant sur la voie du rendement trimestriel. Pour eux, les écolos sont d'irréductibles ennemis nourrissant les plus sombres desseins.

De tels gestionnaires se déconsidèrent totalement devant le tribunal de l'intérêt public et c'est l'ensemble des gestionnaires de l'industrie qui fait les frais des errements d'une minorité agissante.

De fait, les gestionnaires des grands groupes corporatifs ont un rôle crucial à jouer dans la révolution environnementale en cours. C'est à eux qu'il appartient de transformer en occasions de profit les défis de la pollution chimique. C'est à eux qu'il revient de garantir, avec tout le génie et les ressources à la disposition de l'industrie, autant la santé publique qu'un profit durable et un progrès réel. La facture de la pollution passée doit aussi être reconnue, chiffrée et gérée aux frais de l'industrie, sans mettre sa survie en péril. Dans une société ouverte et informée comme celle de l'Amérique du Nord, l'entreprise ne peut croître à long terme qu'en mobilisant ses ressources pour servir son époque, non pour l'empoisonner. La révolution bleue est un gigantesque chantier qui va nous placer devant les défis exigeants de notre époque. La fierté déjà ressentie au Québec pour un groupe comme Hydro-Québec, à l'époque des « 12 012 », doit regagner le cœur de l'activité industrielle.

Les *baby-boomers* sont les enfants de cette révolution chimique qui a le même âge qu'eux, cinquante ans. Ils sont en quelque sorte les premiers bébés chimiques de l'histoire. Ils forment la première génération toxique, d'abord à cause de la soupe chimique corporelle qu'ils portent en eux, puis à cause de la soupe chimique environnementale qu'ils ont créée et qu'ils continuent de gérer dans les postes d'autorité.

Massivement, ils forment la première génération de cobayes que s'est offerte l'industrie pour tester la nocivité de ses substances à long terme. Qu'ils habitent la ville ou la campagne, les membres de la « génération toxique » seront bientôt aux premières loges pour récolter les troubles de santé chroniques (cancers, Alzheimer et autres défaillances des systèmes neurologique, immunitaire et reproducteur) typiques des gens exposés sur une longue période aux 75 000 substances de l'industrie chimique.

S'ils vont mourir en moins grand nombre que les générations précédentes de maladies comme les cancers, grâce aux traitements lourds, les bébés chimiques seront sans doute nombreux à devoir apprendre à vivre avec les séquelles de l'ablation de seins, de prostates, d'intestins, de poumons et de tissus divers. À ces bébés chimiques qui occupent aujourd'hui les postes de pouvoir, il reste tout au plus dix ans pour décontaminer l'héritage qu'ils laissent à leurs enfants.

Avant de quitter leur boulot, les haut placés dans l'industrie et les gouvernements doivent débarrasser leur bureau de l'enjeu chimique. Ce pourrait être leur choix... Il est permis de rêver : cancers et troubles vasculaires, responsables d'environ 60 % des décès, apparaissent aujourd'hui en bonne partie évitables, tout comme nombre de maladies incapacitantes comme l'arthrite et l'Alzheimer. En prenant le train de la révolution bleue, on peut envisager de mourir de vieillesse plutôt que de maladie.

Qui plus est, seuls 10 à 15 % des gens reçoivent en 2005 les soins palliatifs requis au moment de la mort, faute de ressources. Le système de santé vit au point de rupture sous la pression des coûts imposés par le traitement des troubles chroniques. Tout trouble de santé évitable relié à la pollution chimique des corps est une cible prioritaire pour rediriger les ressources vers les soins pouvant assurer un minimum de dignité à nos mourants.

Le génie chimique est l'une des grandes créations de l'esprit humain et pourtant il est devenu, en ce début de troisième millénaire, un proscrit à cause des manigances à courte vue des gestionnaires voyous de l'industrie : sortes de cow-boys toxiques des temps modernes.

Le très sérieux World Wildlife Fund (WWF) conclut en désignant la pollution chimique comme l'une des deux principales menaces environnementales confrontant le monde, avec le réchauffement de la planète.

La situation s'est dégradée à tel point que, spontanément, lorsque l'on entend parler du cancer d'un proche, on se demande tout à coup devant l'étal d'un épicier : « Qu'est-ce qui ne m'empoisonnera pas ? » Ou lorsque l'on subit les complications provoquées par les restrictions alimentaires qu'impose la prévalence d'allergies dans les classes d'enfants, on se surprend à s'exclamer : « Damné chimique ! »

Le temps et la compréhension ayant permis de mieux saisir l'origine du dérapage de la révolution chimique qui menace le développement durable même de l'industrie, il semble devenu approprié de conclure : « Damnés gestionnaires toxiques ! »

Si les agriculteurs trouvent le temps long à l'heure actuelle à cause de la mauvaise presse que leur valent des décennies de pratiques douteuses, ce n'est rien comparé au passage dans le broyeur très prochain que se préparent avec un enthousiasme désarmant les gestionnaires de l'industrie chimique.

Le 7 mai 2004, lors du colloque international « Cancer, environnement et santé » tenu à l'Unesco, des scientifiques sonnaient le tocsin en lançant l'*Appel de Paris*, une « déclaration internationale sur les dangers sanitaires de la pollution chimique ». Philippe Saint-Marc, président de la Société internationale de recherches pour l'environnement et la santé (Sires), concluait que le choix est devenu simple : « Médicaliser la société ou "écologiser" le développement. » L'écosanté ou la ruine du système de santé.

Au fait, pourquoi le Canada ne prendrait-il pas l'initiative d'une alliance avec la vieille Europe et son programme REACH d'évaluation des substances chimiques ? Une telle alliance – sinon dans la loi, à tout le moins dans les faits – pourrait même devenir un moteur de développement en forçant nos industries à offrir aux gens ce qu'ils veulent réellement : de nouveaux produits qui soient sécuritaires. Et les produits canadiens ne seraient pas susceptibles de se voir fermer les portes de l'exportation vers l'Europe.

La Commission québécoise de l'agriculture, des pêcheries et de l'alimentation optait pour une stratégie similaire en juin 2004. Elle recommandait que le gouvernement du Québec opte pour l'étiquetage obligatoire des OGM – contrairement à la politique canadienne d'étiquetage volontaire adoptée au printemps 2004 – avec un seuil de 0,9 % « harmonisé à celui de l'Union européenne », pourcentage à partir duquel la présence des OGM doit être signifiée.

Voilà un exemple concret des multiples gestes à la portée d'un gouvernement qui aura compris que le monde et les temps changent… pour le bleu.

Deuxième partie

LES SOLUTIONS ZÉROTOXIQUE

Les gestes pour se protéger.

Introduction

LES GESTES POUR SE PROTÉGER SANS TARDER

Nous pouvons nous protéger sans tarder, à la maison, contre un nombre significatif de polluants qui pénètrent dans nos corps par l'air intérieur, le contact cutané avec divers produits et l'ingestion d'aliments douteux. À titre d'exemple de l'utilité de se protéger, on sait que le mercure accumulé dans le corps, surtout par la consommation de poisson, ne s'éliminerait qu'en un peu moins d'un an.

L'impact croisé douteux de substances provenant d'une multitude de sources, en quantités minimales ou significatives, milite pour l'intégration des multiples occasions de précaution qui s'offrent : c'est l'attitude ZéroTOXIQUE.

Les précautions à la maison décrites dans les rubriques suivantes offrent un tableau d'ensemble des nombreux achats susceptibles de protéger au premier chef les plus fragiles d'entre nous – les fœtus, les enfants et les personnes âgées, malades et démunies. Ces achats protègent aussi les personnes moins fragiles contre une exposition insidieuse, à long terme, à des substances liées aux troubles chroniques qui causent 7 décès sur 10 et la majorité des troubles incapacitants de plus en plus fréquents en fin de vie.

Les précautions de société s'adressent aux gouvernements et à l'industrie. Comprendre les changements requis par eux permet à la fois de les appuyer quand l'occasion se présente et de ne pas se laisser mener en bateau par les publicitaires de l'industrie. Tous les publicitaires ne sont pas fautifs, mais on aimerait entendre les autres parler de sécurité plus clairement, plus souvent et plus fort.

Voici à titre d'introduction un bref panorama des précautions de société pour ajouter à notre compréhension du contexte dans lequel s'inscrivent nos initiatives à la maison.

Précautions des gouvernements

Précaution est un terme qui exprime avec justesse une notion de ce que la population est en droit d'attendre de ses gouvernements.

Le principe de précaution, lui, garantit spécifiquement que lorsqu'il existe des possibilités de dommages irréversibles associés à une substance chimique, les mesures de contrôle nécessaires sont adoptées sans attendre d'études confirmant la certitude desdits dommages. Une telle règle, pourtant simple, constitue une véritable révolution face aux pratiques actuelles.

Par ailleurs, afin de ne pas freiner le progrès technologique, il est aussi entendu qu'il n'est pas exigé d'obtenir la certitude de l'innocuité d'une substance avant de l'autoriser, selon le principe de précaution raisonnée.

On protège ainsi à la fois notre santé et les chances de progrès technologiques : aucun des deux ne se fait au détriment de l'autre. Voilà l'esprit du virage que doivent prendre dès à présent tous les paliers de gouvernement, et cela sans chipoter.

L'absence généralisée de précaution dans les réglementations a conduit à ce que soit tolérée une multitude de négligences. Par exemple, la moitié des wagons transportant les substances chimiques en Amérique du Nord présentent un danger dit réel mais non quantifiable – aux dires même de la

Commission de la sécurité dans les transports des États-Unis, car ces wagons furent construits du temps où les normes étaient moins strictes. L'organisme canadien chargé de la sécurité dans les transports n'a même pas encore jugé utile d'effectuer quelque vérification que ce soit.

La précaution est une révolution ; c'est un chantier. Loin d'être un frein au progrès et au développement, ce chantier est un stimulant, comme ce fut le cas de l'énergie éolienne en Espagne. Les pays les plus dynamiques pour en négocier le virage développent des technologies qui seront la norme de demain. Il faut cesser de prêter l'oreille aux industries qui mettent partout des freins pour continuer d'engranger les profits générés par leur fonds de commerce en technologies polluantes. Décontaminer l'héritage de la révolution chimique est le chantier d'aujourd'hui, la nouvelle frontière.

La population ne peut rien contre chacun des multiples cas de négligence chimique tant qu'elle n'a pas saisi le cœur de l'enjeu, soit opposer la précaution à la négligence. Opposer l'esprit du principe de précaution à celui du principe du cobaye.

On peut avoir une petite idée de ce à quoi pourrait ressembler une attitude gouvernementale de précaution chimique proactive. Tout juste avant d'être remplacé avant terme en octobre 2003, le gouverneur démocrate de la Californie faisait adopter un train de mesures comme le financement d'une transition vers des technologies de nettoyage à sec moins toxiques (elles existent) et l'interdiction de construire des écoles trop près d'artères à circulation élevée. Ce sont là des gestes qui, bien souvent, ne représentent pas des coûts très différents des pratiques actuelles.

La science qui permet de telles initiatives de précaution est là, elle est disponible, pour peu que la santé de la population reprenne la place qui lui revient devant les intérêts commerciaux à court terme.

Les sites contaminés disséminés un peu partout dans les pays industrialisés exigent de devenir, par exemple, des chantiers prioritaires de la décontamination de l'héritage industriel. L'écoulement libre des BPC du Technoparc de Montréal dans le Saint-Laurent est tout bonnement une aberration. Dans la seule région de Montréal, le gouvernement fédéral est à lui seul propriétaire de 27 sites similaires ; il en posséderait 1 221 au Canada qui sont potentiellement dangereux. Les Inuits paient en ce moment même le prix de cet héritage, par leur intoxication élevée aux BPC provenant des animaux de chasse dont ils se nourrissent et qui sont eux-mêmes contaminés.

Les coûts de la décontamination par l'industrie responsable des sites ne doivent plus être considérés comme des freins au progrès ; ils sont le progrès lui-même. Progrès qui donnera une valeur ajoutée de sécurité à nos biens de consommation. Les coûts de ces biens s'élèveront en conséquence de 10 %, voire de 15 %, mais seule cette hausse peut protéger à la source la santé financière de nos systèmes de soins. Les gouvernements n'ont aucun motif de reporter l'instauration d'une politique de décontamination des sites pollués, puisqu'il en va de la survie même de leurs finances.

Des doutes ? Un porte-parole de l'industrie du diamant, dans laquelle le Canada est en train d'effectuer une percée majeure, affirme que les diamants canadiens se vendent facilement de 5 à 10 % plus cher parce que les autres pays savent qu'ils sont le produit de technologies propres pour l'environnement !

Autre exemple d'initiative gouvernementale, les poursuites engagées pour obliger les entreprises délinquantes à respecter les règlements existants. À ce propos, l'État de New York a obtenu, au début de 2005, une entente avec six centrales électriques au charbon qui réduira d'ici 2013 leurs émissions de polluants en quantité équivalant à 2,5 millions de véhicules (pour les oxydes nitreux) et à tous les autobus et camions en circulation dans le pays *entier* (pour les dioxydes de soufre). Les émissions de suie et de mercure devraient aussi être réduites, mais dans une moindre mesure.

Or la qualité de l'air dans la région montréalaise durant l'été est directement conditionnée par les émissions de polluants provenant de l'est et du Midwest états-uniens – ils constituent plus de 60 % du smog durant l'été à Montréal. L'Association pulmonaire des États-Unis évalue que, dans les seuls environs de Buffalo où campent les deux principales centrales, on évitera une centaine de décès et trois fois plus d'hospitalisations, sans compter les crises d'asthme.

Aussi bien, deux mesures sont essentielles pour bloquer la hausse constante du smog hivernal, dont l'épisode d'une semaine entière au début février 2005 a battu tous les records. Le gouvernement du Québec doit rendre obligatoire la norme EPA pour les foyers et poêles au bois, et interdire les démarreurs à distance, qui encouragent systématiquement le fonctionnement au ralenti au-delà des quatre minutes déjà reconnues comme norme.

L'inertie n'est pas une option. En se plaçant à la remorque de l'inertie prévalant dans l'industrie des ressources, le Canada a reporté les mesures qui auraient pu être prises dès l'adoption du Protocole de Kyoto, en 1997. Le pays s'est ainsi retrouvé en janvier 2005 avec des objectifs reconnus par tous comme essentiels, mais impossibles à réaliser sans investissements massifs et précipités.

En se plaçant à la remorque de l'inertie prévalant dans l'industrie automobile nord-américaine, le Canada a raté l'occasion d'exercer son leadership et laissé l'Europe et l'Orient développer les technologies éconergétiques que réclament aujourd'hui les consommateurs.

En se plaçant à la remorque de l'inertie prévalant dans l'industrie chimique, le Canada pourrait rater l'occasion d'exercer un leadership qui brancherait l'économie du pays sur le potentiel de la révolution bleue qui se déploie en ce moment même sous nos yeux. Le Canada empêcherait aussi que perdurent les torts infligés par le principe du cobaye non seulement aux finances publiques, mais à la santé publique : à de vraies personnes en chair et désir de vivre sans troubles incapacitants.

Soutenir les recours contre l'industrie pour non-précaution

Tant que l'industrie chimique n'aura pas proposé un plan précis démontrant une volonté claire de faire preuve de précaution dans la gestion des substances chimiques, elle s'expose à des poursuites totalement méritées pour négligence.

Le célèbre maire Daley de Chicago a fait carrière dans la défense de familles contre des assureurs et des corporations pourvus de bataillons d'avocats. Il résumait ainsi son expérience en décembre 2003 : « Je suis un ferme défenseur des cours de justice comme lieu où les gens ordinaires peuvent se faire entendre. [...] Les jurys sont un exemple vital de la démocratie en action. » Et il continue : « Les poursuites donnent souvent des résultats dont les échos vont bien au-delà des cours de justice. » (Traduction de l'auteur.)

Quelqu'un dort à la barre de l'industrie au point de mettre en danger son propre développement durable. En réalité, il est tout à fait justifié que certains gestionnaires voyous de l'industrie, peut-être minoritaires mais très actifs, soient au premier chef visés par des poursuites pour négligence méritées par leurs décisions à courte vue et irresponsables.

Les assurances dont jouissent ces employés ont une portée limitée ; de plus, elles ne couvrent pas les recours pouvant être entamés à l'initiative des compagnies elles-mêmes, à la suite de votes demandés par les actionnaires institutionnels lors des assemblées annuelles.

Fonds de pension et fonds d'investissement responsables ont là l'occasion de marquer la fin de la récréation. D'ailleurs, sous leurs pressions, deux des plus grands exploitants de centrales thermiques au charbon – source principale de la pollution au mercure que l'on trouve dans le poisson – ont accepté en février 2004 de dévoiler les coûts d'un contrôle plus serré de leurs émissions. Pas plus tard que l'année précédente, ils s'y refusaient. De là à faire mousser des recours contre les gestionnaires de groupes comme DuPont, qui ont caché de l'information et valu des poursuites à leur employeur, il n'y a qu'un pas dont la pertinence ne doit pas être écartée d'emblée.

Loin d'être en conflit avec les questions environnementales, la recherche de profit à long terme passe par la résolution de ces enjeux. Or, le rendement à long terme est celui qui est privilégié par la majorité des fonds de pension, désormais devenus les actionnaires majoritaires de l'économie – Marx doit en frétiller dans sa tombe. La vertu n'y est pour rien, mais le bien commun y gagne grandement.

C'est un rapport du Forum économique mondial de Davos, en Suisse, qui l'affirme (*Mainstreaming Responsible Investment,* 2005).

Par nécessité, les fonds d'investissement se trouveront ainsi bientôt à prendre le relais des communautés religieuses pour civiliser les corporations.

Le rapport précise que ce ne sont pas les valeurs des gestionnaires – de tous les gestionnaires, préciserons-nous – qui empêchent l'intégration à grande échelle du rendement à long terme, donc des enjeux environnementaux. C'est l'appareil entier, réglementation et incitatifs, qui a besoin d'une mise à niveau. Une mise à niveau qui sera d'autant moins longue et laborieuse que les fonds de pension manifesteront avec vigueur leur préférence. Beau programme pour les caisses de dépôt et fonds de travailleurs de ce monde.

Concrètement, par exemple, les derniers estimés de la pollution industrielle au Canada indiquent clairement que l'industrie ne fait tout simplement pas une priorité de la réduction de ses émissions polluantes.

Le rapport fédéral *Inventaire national des rejets de polluants entre 1995 et 2002* permet de constater que, durant cette période, les émissions de 160 polluants toxiques ont augmenté de 49 %. Pour les seules usines et substances recensées du début à la fin de la période, les émissions dans l'air ont augmenté de 11 % et les rejets dans l'eau, de 27 %. Prises une à une, les usines progressent peu ou pas.

La centrale thermique au charbon de Nanticoke est l'usine qui a connu la plus forte hausse d'émissions polluantes, parce qu'elle a dû hausser sa production d'électricité pour compenser les pannes des réacteurs nucléaires en Ontario.

Le prix Citron québécois va à la fonderie Horne, à Rouyn-Noranda, huitième au classement des salopards industriels canadiens.

Les fonderies d'Inco, à Copper Cliff, en Ontario, et Thompson, au Manitoba, occupent les premier et deuxième rang, méritant le titre de salopards en chef.

Les deux groupes écologistes (Défense environnementale et Association canadienne du droit de l'environnement) qui doivent être félicités pour avoir extrait une synthèse critique du rapport fédéral offrent aussi un site en anglais, sur Internet, pour repérer les pollueurs industriels localisés dans le périmètre de notre code postal : www.pollutionwatch.org.

La décontamination de l'héritage industriel à laquelle nous convient révolution bleue et précaution exige que l'industrie place au cœur de son mandat l'élimination de ses émissions polluantes mettant en péril l'économie durable qu'il appartient à tous de bâtir dès à présent. Ce n'est pas si compliqué, une fois le nécessaire changement d'esprit adopté.

Quant aux poursuites intentées par les consommateurs, les grandes corporations sont hypersensibles à leurs conséquences. Celles qui sont liées à l'obésité en sont un bon exemple. Le porte-parole d'un groupe de pression pour les industries alimentaires et de restauration a expliqué (AFP, 11 mars 2004) que le secteur est inquiet de « la possibilité de voir se multiplier les procès, après qu'un groupe d'adolescents obèses s'en est pris à McDonald's, en 2002, dans le cadre d'une plainte en recours collectif ». L'industrie craint que, si de telles plaintes se multiplient, un juge pourrait bien finir un jour par les accepter, ce qui entraînerait des conséquences financières catastrophiques.

Autre exemple, le bois traité à l'arséniate de cuivre chromaté (ACC) a déjà donné lieu à plusieurs poursuites contre des fabricants, détaillants et installateurs aux États-Unis. Les requérants exigent que l'industrie décontamine les sols et remplace les structures par des matériaux sécuritaires.

Les gras trans pourraient entraîner des recours ruineux et justifiés. La recherche démontrant leur nocivité existe depuis des années mais les personnes ne possédant pas les connaissances et une aisance suffisantes ne peuvent s'en protéger. Ne pas entamer ces recours ne revient-il pas à légitimer des comportements négligents, voire délinquants ? Voilà des questions qui, à tout le moins, pourraient alimenter de solides débats dans les écoles de droit.

S'il existe des poursuites abusives qui méritent d'être dénoncées aux États-Unis – comme certaines dans les secteurs de la santé et de l'éducation –, ce n'est pas le cas de celles qui guettent l'industrie responsable de la pollution chimique de nos corps.

Fait intéressant : les avocats des poursuites pour litiges aux États-Unis contribuent à la caisse électorale des démocrates. Les corporations poursuivies, elles, contribuent plutôt à la caisse des républicains.

Chapitre 1

REPÈRES IMPORTANTS

Précautions personnelles du EWG

La réputée organisation états-unienne Environmental Working Group (EWG) est à l'avant-garde de la lutte contre la pollution dans nos corps. De son analyse de la pollution chimique de nos corps, elle a tiré la conclusion qu'il est possible et bénéfique de la limiter, même si on ne peut l'éviter entièrement.

En plus des quelques consignes générales contre la pollution chimique qui suivent, EWG nous encourage à varier notre menu pour éviter d'accumuler des polluants plus concentrés dans l'un ou l'autre des aliments propres à notre région ou à nos habitudes.

Consignes générales contre la pollution chimique

- Manger moins d'aliments transformés, car ils contiennent souvent des additifs chimiques.
- Préférer les aliments bio. Ils sont dépourvus de pesticides et de préservatifs.
- Ne pas utiliser de contenants en plastique dans le four à micro-ondes, seulement en verre ou en céramique.

- Utiliser un filtre à eau, à la maison, pour l'eau du robinet. Les filtres peuvent réduire les niveaux des polluants courants dans l'eau du robinet.
- Manger moins de viande et de produits laitiers à haute teneur en gras, qui contiennent des niveaux plus élevés de certains polluants.
- Réduire le nombre de cosmétiques et des autres produits de soins corporels que vous utilisez, car ils peuvent contenir des substances chimiques nuisibles et peuvent être vendus sans évaluation de sécurité.
- Éviter les parfums artificiels (et cela dans tous les produits, incluant les assouplissants à lessive et les chasse-odeurs [Nda]).
- Ne pas utiliser de protège-tissu sur les vêtements, la literie et les meubles en tissu.
- Réduire le nombre de nettoyants ménagers utilisés. Essayer l'eau et le savon en premier.
- Éviter les outils d'extérieur utilisant du carburant – préférer les outils manuels ou à alimentation électrique.
- Éviter d'inhaler les vapeurs de carburant en faisant le plein de la voiture – rester assis dans le véhicule, par exemple.
- Ne manger que les produits de la mer reconnus pour leur faible taux de pollution au BPC et au mercure, incluant le saumon sauvage d'Alaska et le saumon en conserve. Éviter le thon en conserve – il contient du mercure.

Source : EWG (www.ewg.org)

Essayez de suivre les consignes précédentes plus attentivement encore si vous êtes enceinte. Y a-t-il quelqu'un à la maison qui puisse prendre votre relève pour utiliser les nettoyants ménagers et faire le plein de carburant pendant votre grossesse ? Mangez du saumon en conserve plutôt que du thon en conserve. Peinturez la chambre de bébé longtemps avant la conception. N'utilisez pas de vernis à ongles – ils contiennent des substances chimiques reliées à des malformations congénitales.

Les bonnes habitudes du DÉFI Suzuki

C'est le 4 novembre 2002 que la Fondation David-Suzuki lançait au Canada anglais le DÉFI inspiré de la démarche lancée aux États-Unis en 1999 par l'Union of Concerned Scientists. La fondation n'acceptant aucun financement de l'industrie et des gouvernements pour préserver son indépendance, la publicisation de cette initiative éminemment pertinente est absolument insuffisante.

La liste des 10 gestes proposés est tirée d'une analyse rigoureuse de l'impact des activités journalières des Canadiens sur les problèmes environnementaux les plus urgents au pays – donc, par ricochet, sur la pollution chimique de nos corps.

On peut consulter sur Internet l'équivalent québécois du DÉFI Suzuki, développé par l'organisme Équiterre, une version enrichie par la notion de gestes équitables : www.equiterre.org.

Le DÉFI Suzuki consiste à choisir d'adopter pour l'année en cours au moins trois des gestes de la liste suivante. Mais il n'est pas illégal d'en faire plus.

DÉFI Suzuki : choisir 3 des 10 suggestions

Les solutions sont dans notre nature

Les transports

1° Avant d'acheter un nouveau véhicule, consultez les cotes de consommation de carburant du gouvernement fédéral pour vérifier que le véhicule est économique en carburant et peu polluant.

2° Déplacez-vous à pied, à bicyclette ou en transports publics, ou encore faites du covoiturage pour effectuer toutes les semaines l'un de vos trajets habituels.

3° Quand vous déménagez, choisissez un domicile situé à moins de trente minutes à pied, à bicyclette ou en transports publics de vos destinations quotidiennes.

4° Apportez votre soutien aux solutions de rechange à la voiture. Communiquez avec les médias et les gouvernements locaux et incitez-les à améliorer les transports publics et les pistes cyclables.

Le logement

5° Trouvez le moyen de réduire votre consommation de chauffage et d'électricité de 10 % cette année.

6° Remplacez les pesticides chimiques destinés à la pelouse, au jardin et aux plantes d'intérieur par des produits non toxiques.

7° Choisissez un logement et des appareils ménagers éconergétiques. Vérifiez que votre maison satisfait aux normes R-2000 et que vos appareils ménagers satisfont aux exigences Energy Star®.

L'alimentation

8° Choisissez au moins une journée par semaine au cours de laquelle votre famille ne consommera aucune viande.

9° Préparez vos repas à l'aide d'aliments en provenance des fermes et des producteurs locaux pendant un mois de l'année.

L'implication

10° Apprenez-en davantage sur la conservation de la nature et faites part de vos connaissances à votre famille et à vos amis.

Ensemble, nous pouvons inspirer nos élus à intégrer la protection de l'environnement aux politiques gouvernementales.

Il est impossible d'améliorer l'environnement sans la participation de tous et de toutes.

La charge qu'imposent à l'environnement nos habitudes de consommation nous est vite retournée sous la forme d'un accroissement de la soupe chimique environnementale dans laquelle nous évoluons, qui alimente à son tour notre propre soupe chimique corporelle.

Par exemple, diminuer nos besoins en électricité réduit la demande que sont obligées de combler les centrales thermiques au charbon de l'Ontario et du Midwest américain. Celles-ci sont en partie responsables du smog de Montréal durant la saison chaude et constituent la plus grande source de pollution par le mercure – une substance neurotoxique qui aboutit dans la chaîne alimentaire et donc dans notre corps. À elle seule, la fermeture de la centrale ontarienne de Nanticoke, sur le lac Érié, éliminerait la principale source canadienne de pollution par le mercure. Et réduire au Québec nos besoins en hydroélectricité permettrait à d'autres régions de profiter de cette énergie plus propre.

Plus encore, les consignes d'utilisation des appareils ménagers peuvent grandement nous faciliter la vie tout en nous faisant économiser. Un résumé des analyses et des suggestions disponibles est donné à la rubrique « Éliminez ces produits et adoptez ces façons de faire », p. 217.

Protégez-vous / Consumer Reports

Ces magazines constituent les remparts les plus concrets et solides pour nous protéger des prétentions fausses présentes partout dans la publicité des produits de consommation.

S'abonner ou, mieux, offrir un abonnement de soutien, si possible, permet non seulement de maintenir sous le balayage de notre radar les dossiers significatifs de l'heure, mais aussi de fournir à ces groupes les moyens financiers de faire encore mieux.

À inscrire tout en haut de la liste de nos contributions citoyennes annuelles.

En général, les électroménagers affichant le symbole Energy Star diminuent à la fois nos dépenses et la demande en énergie liée à la pollution chimique de nos corps. On peut obtenir les marques recommandées sur www.energystar.gc.ca ou en faisant le 1 800 622-6232. Les analyses de produits effectuées par des groupes indispensables comme les magazines *Protégez-vous* et *Consumer Reports* offrent un coup de pouce avisé.

Notons que le chauffage au bois n'est pas une solution moins polluante, à moins d'utiliser les poêles qui satisfont aux normes EPA. Les feux de bois constituent en effet la principale source de pollution de l'air dans une ville comme Montréal, durant l'hiver. Certains recommandent même de les réserver à un usage décoratif.

Dans chaque ménage, trois catégories de dépenses – maison, nourriture, transport – sont responsables de 72 à 98 % des impacts nocifs causés à l'environnement par nos activités régulières. Les gestes proposés par le DÉFI sont dictés par ces calculs rigoureux.

Des suggestions comme manger plus de mets produits localement et marcher pour nous rendre à l'une de nos destinations régulières offrent des moyens faciles de protéger les terres agricoles et nos coins de nature préférés, de garantir une eau et un air plus propres, de stabiliser le climat, et de créer des communautés plus en santé. Le calcul est imparable.

La chapitre 6 sur l'entretien ménager décrit les effets directs sur la santé que peuvent avoir les produits d'entretien de la maison. Leur impact sur l'environnement est moindre, toutes proportions gardées, que celui d'autres gestes et produits. Les calculs montrent en effet que, ensemble, les produits nettoyants et les services, les peintures et le reste des dépenses d'entretien n'ont qu'un effet marginal (1 ou 2 %) sur l'environnement. Les trois facteurs qui ont un impact déterminant sont le transport (48 % de la pollution de l'air), la culture de la nourriture (47 % de la pollution de l'eau) et la production d'énergie pour la maison (36 % des gaz à effet de serre).

Choix des produits avec le logo Choix environnemental

« Nous en sommes au point où il ne s'agit plus d'être conscient du problème, mais de changer nos habitudes de consommation… Si les consommateurs avaient des exigences environnementales plus élevées, le marché réagirait très vite. On pourrait exiger ainsi une étiquette verte de tout producteur québécois, une étiquette de qualité totale. » (Gilles Beaudet, vieux sage québécois et scientifique associé à la Fondation québécoise en environnement, printemps 2003.)

La recherche démontre que la population canadienne veut contribuer à protéger sa santé et l'environnement mais qu'elle ne comprend pas clairement ce qu'elle peut faire. Un outil majeur de clarification est l'étiquette verte souhaitée par Gilles Beaudet. Or, elle existe déjà. C'est le logo Choix environnemental avec les trois colombes stylisées entrelacées pour former une feuille d'érable. C'est le seul programme d'étiquetage écologique complet au Canada.

Il ne s'agit pas d'un simple logo de plus à se disputer notre attention sur l'emballage des produits. Ce logo diffère du logo à trois flèches – le ruban de Möbius – distinguant les produits contenant des matériaux recyclés et les produits recyclables. Il ajoute de fait des qualités supplémentaires au potentiel de recyclage indiqué par le ruban de Möbius. Un papier certifié non seulement contiendra des fibres recyclées, mais l'ensemble du procédé de fabrication sera plus sain et son rejet possible dans l'environnement aura un impact limité.

Il s'agit d'un logo reconnu pour sa qualité, sa probité et son indépendance (www.environmentalchoice.com). Sa présence sur un emballage assure que le produit a fait l'objet d'une étude de sécurité par un groupe indépendant, une tierce partie. Les autres normes et logos n'ont souvent qu'une valeur partielle ou ne concernent qu'un type de produits, quand ils sont de qualité. Il arrive aussi que les experts en marketing inventent des logos totalement dénués de valeur.

Le logo Choix environnemental certifie la réalité de la précaution rattachée à un produit, tant pour sa fabrication et son utilisation que pour son élimination. Le nombre de produits maintenant certifiés augmente de plus en plus : peintures, lubrifiants, nettoyants et détergents, papiers, adhésifs, couches, sacs à ordures, produits d'hygiène et de beauté, et bien d'autres.

La conception du logo Choix environnemental ne date que de quelques années. Choisir les marques certifiées encourage les plus grandes marques à offrir de plus nombreux produits certifiés. Parce que le logo n'est pas encore bien connu de la population, il arrive que des marques certifiées ne l'affichent même pas sur leur emballage.

Un effort particulier a été fait pour énumérer dans ce livre les marques des produits d'entretien détenteurs de la certification, afin d'aider à faire du logis une zone Zéro-TOXIQUE. Elles sont rassemblées à la rubrique « Favorisez ces produits et gestes simples », p. 223.

Pour ce qui est de l'entretien, il est parfois bien simple d'utiliser des nettoyants maison quand il n'existe pas de marques certifiées. Par exemple, un peu de vinaigre dans de l'eau pour les planchers et de l'eau gazéifiée pour les vitres et le verre font des miracles. Une liste de solutions maison est aussi donnée à la rubrique « Favorisez ces produits ».

Par ailleurs, certaines marques non certifiées mais moins nocives méritent d'être préférées à d'autres, même si elles ne sont pas idéales. Une liste des suggestions a été ajoutée à la rubrique « Favorisez ces produits ».

Des marques certifiées de produits divers peuvent aussi être obtenues sur Internet – à l'adresse mentionnée plus haut.

Il faut cependant noter qu'un produit comme le papier hygiénique d'une certaine marque peut être certifié, alors que le papier mouchoir de la même marque ne le sera pas parce qu'il provient d'une usine non certifiée. Il en va de même pour la peinture et les autres marques certifiées.

Il vaut le coup de faire savoir au service à la clientèle des grandes marques notre souhait qu'elles cessent d'utiliser des substances à risque et qu'elles se mettent à fabriquer des produits certifiés. Mieux encore, on peut acheter une marque certifiée et prévenir de ce changement le service à la clientèle de notre marque préférée antérieure. En ce moment, les fabricants ne croient pas que les consommateurs souhaitent réellement des produits plus sécuritaires. Vérification faite, c'est la seule et unique raison pour laquelle ils ne les offrent pas. Alors, sautez donc une soirée de quilles, de bridge ou un *rave,* et jouez avec des amis à « *On appelle la compagnie* ».

On se prend parfois à rêver des surprises que nous réserve la révolution bleue en cours lorsque les fabricants se mettront en tête d'intégrer systématiquement la perspective de la précaution dans le développement même de leurs produits. Soulignons, à titre d'exemple, l'ordinateur de table PowerMate ECO de Nec, sans plomb, sans PVC, sans mercure, sans cadmium, sans chrome, sans bore dans les semi-conducteurs, doté d'un écran plat, avec un plastique recyclable et respectant les normes éconergétiques Energy Star. Du beau boulot !

Chapitre 2

ALIMENTS

Une diète équilibrée n'est plus le principal gage d'une bonne alimentation : encore faut-il que les aliments soient dénués de pollution chimique.

On comprend aujourd'hui clairement que ce sont les pratiques industrielles d'élevage et de culture qui causent une bonne part de la pollution chimique de nos aliments et de nos corps : antibiotiques, hormones de croissance, pesticides, engrais, gras trans et additifs tels que les nitrites s'ajoutent aux polluants de l'industrie en général – dont les dioxines et le mercure – pour mettre notre santé en danger.

Et ce n'est certainement pas en rajoutant de ces substances que se règleront les problèmes causant des empoisonnements alimentaires dans environ le quart de la population chaque année. C'est en changeant les mentalités et les pratiques.

Santé Canada persiste à attester de la sécurité des aliments offerts à la population, envers et contre l'accumulation de données remettant cette sécurité en cause en raison des substances chimiques. Pareil déni des enjeux majeurs posés par la pollution chimique des aliments discrédite ce rempart gouvernemental instauré pour nous protéger. À l'heure actuelle, l'équilibre devant protéger à la fois la santé des producteurs et celle des consommateurs est rompu en faveur des premiers, au détriment des seconds.

Il importe de comprendre ici ce que dit précisément Santé Canada en défendant le principe du cobaye : tant qu'il n'existe pas de certitudes quant à la nocivité d'un produit, il est présumé sécuritaire – quitte à réviser les avis en cas de découverte éventuelle de données contraires. Une probabilité de nocivité n'est pas reconnue comme un motif suffisant pour déconseiller ou interdire la fabrication d'un produit.

Si je ne veux pas, dans mon corps, de la moindre substance possiblement cancérogène, neurotoxique ou autre, je ne peux me fier à Santé Canada ni aux produits en magasin. Je dois donc prendre l'initiative de suivre des consignes similaires à celles que la Communauté européenne a décidé, elle, d'appliquer pour protéger sa population.

L'esprit de ce présent livre est justement de faciliter les choix conformes au principe de précaution en les rassemblant et en les expliquant. La génération née avec la révolution chimique peut ainsi se protéger sans tarder, puisqu'elle arrive actuellement à l'âge où se déclarent les troubles chroniques associés aux polluants chimiques dans le corps. Et le simple fait de rendre l'enjeu plus clair dans l'esprit de la population forcera les gouvernements à adopter des politiques similaires à celles de l'Europe.

La mauvaise nouvelle est que les produits biologiques dénués de polluants chimiques sont encore significativement plus onéreux que les autres (de 10 à 200 %). Le tout bio n'est donc pas à la portée de toutes les bourses. C'est la raison pour laquelle la rubrique sur les pesticides donne une liste des aliments les plus pollués, à éviter donc, et des aliments les moins pollués, à préférer.

La bonne nouvelle est que les prix du bio devraient s'ajuster à la baisse à plus ou moins brève échéance. C'est que la plupart des producteurs bio n'en sont encore qu'à apprendre leur métier, raison première des coûts supérieurs. Les producteurs d'expérience obtiennent des résultats similaires à ceux de l'agriculture traditionnelle. À preuve, la chaîne Loblaws a lancé une série de produits bio dont les prix sont comparables à ceux de leurs équivalents conventionnels.

Additifs

Il y a plus de 2 000 additifs autorisés au Canada, des substances dont la sécurité est censée être vérifiée par le Bureau d'innocuité des produits chimiques de Santé Canada. Tout est beau ? Prenons le cas des nitrites présents dans les charcuteries, et plus spécifiquement dans les saucisses à hot-dog tel que démontré plus loin.

On sait qu'au contact d'amines normalement présents dans la viande, les nitrites forment un composé décrit comme un cancérogène probable. Bon. Une étude a démontré en plus que la consommation de saucisses à hot-dog plus d'une fois par semaine serait reliée à une hausse des cancers du cerveau et de la leucémie chez les enfants. Les enfants nés de mères en ayant consommé pareillement plus d'une fois la semaine durant leur grossesse auraient manifesté des taux de cancer plus élevés.

On ne parle pas ici d'une hécatombe, mais au vu de telles données, qui ne déciderait d'opter pour la précaution en évitant à l'enfant la consommation régulière desdites saucisses. Qu'y a-t-il à discuter ici ? La précaution spontanée rejoint le principe de précaution lui-même, qui est bien défini par les approches de pointe en gestion du risque. Et la précaution dira qu'il est préférable d'éviter à l'enfant l'exposition à des substances à risque tant que leur innocuité n'aura pas été prouvée. Point. Pas question d'attendre la certitude de la nocivité des nitrites pour agir. En revanche, le principe du plaisir précisera qu'un hot-dog occasionnel n'est pas mortel...

Avec la quantité de saucisses qui se vend, l'industrie a les moyens de défrayer la recherche nécessaire. Pour leur part, les gouvernements n'arrivent qu'à peine à défrayer les soins pour les maladies chroniques – 70 % des décès –

causées au moins en partie par une panoplie de substances comme les nitrites et les gras trans.

Comment se fait-il qu'il faille s'infliger la consultation de multiples sources d'information semblables pour se protéger ? Ne nous donnons-nous pas justement des gouvernements dont le mandat est de garantir que les aliments commercialisés respectent des consignes de précaution évidentes ?

L'exemple des saucisses à hot-dog nous force à convenir que tel n'est pas le cas en ce moment. Et il n'est pas inutile de souligner que les populations les plus fragiles, les plus pauvres, sont les plus exposées, par ignorance, aux risques posés par un tel type d'aliment. L'économique saucisson de Bologne – le « baloney » – contient le même type d'additifs.

Que dit le porte-parole de Santé Canada à propos des additifs ? Très officiellement, sur les ondes de la télévision d'État (11 mars 2004) : « En tant que chimistes et toxicologues, nous pouvons faire certaines prédictions lorsque nous évaluons un additif alimentaire, mais il est impossible de prédire toutes les interactions [...] même toutes celles qui sont naturellement présentes dans un aliment. »

Ainsi, puisqu'il est impossible de tout prévoir dans la vie, mieux vaut laisser aller les choses en attendant des signes clairs, comme une augmentation de l'incidence de certaines maladies dans la population. C'est le principe du cobaye.

Ce raisonnement bon teint, énoncé avec un sourire philosophe, est pourtant précisément à l'exact opposé de la précaution élémentaire et de son principe. C'est un raisonnement irresponsable.

La population est tout à fait en droit d'exiger que l'on démontre l'innocuité d'une substance avant de l'autoriser. Les nitrites sont à risque ? Ils doivent donc être exclus en attendant les preuves de leur innocuité, preuves qu'il revient à leurs fabricants de fournir.

La population est en fait dans son droit le plus légitime de refuser d'être exposée à de multiples additifs en attendant que soit trouvé le financement, toujours rare, pour vérifier leur innocuité. C'est plutôt aux substances qu'il revient d'attendre le temps nécessaire pour faire la preuve de leur innocuité. Autrement, la population est exposée à de multiples substances à risque, aux fins d'une sorte d'expérimentation à grande échelle pour laquelle elle n'a jamais donné son consentement, ce qui est le cas actuellement, principe du cobaye oblige.

Et comment se fait-il que nos gouvernements ne garantissent pas la précaution que nous sommes en droit d'exiger ? La réponse du porte-parole de Santé Canada montre que c'est une question d'ignorance, de laxisme, voire d'incompétence. Et s'ajoute à cela le fait que, jusqu'en 2003, les caisses électorales financées par l'industrie forçaient les élus à protéger la santé financière de l'industrie plus que la santé publique – derrière des portes closes, bien sûr.

Comment expliquer autrement qu'un pays aussi avancé que le Canada autorise encore l'utilisation de colorants alimentaire comme le bleu n° 1, le rouge n° 2 et le rouge citrin n° 2, colorants interdits dans plusieurs autres pays avancés comme la Norvège, la Grande-Bretagne et les États-Unis, en plus d'être déconseillés par l'Organisation mondiale de la santé ? Utilisés dans des mets aussi communs que les confitures ou les marmelades, ces colorants sont pourtant reliés, entre autres, à des probabilités de cancer. Défendre l'innocuité de telles substances discrédite ce rempart que la population croit s'être donné avec Santé Canada. Dans un tel cas, Santé Canada ne peut même pas prétendre agir au vu des connaissances disponibles, à moins de se fermer les yeux. Un gestionnaire ingénieux a dû y penser…

Au terme d'une émission à laquelle participait le porte-parole de Santé Canada, c'est rien de moins que la présidente de l'Association des diététistes du Québec qui concluait, sur le thème des additifs traités à cette émission : « Quand on regarde le nombre de cancers [et] de maladies cardiaques, c'est sûr qu'il y a un lien avec l'alimentation. » Constatation énoncée avec diplomatie, mais que faut-il de plus pour agir ?

Il importe donc de faire preuve de précaution à propos de substances aussi répandues que les additifs, car notre santé est en jeu. En guise de consigne face à la profusion de l'information et des substances, il n'est pas inutile d'éviter les aliments dont la liste d'ingrédients compte trop d'éléments incompréhensibles. Limiter la consommation d'aliments cuisinés industriellement est une façon d'y parvenir, ce que font d'ailleurs tous les gourmets.

On se prend parfois à rêver de ce dont sera capable l'industrie alimentaire une fois qu'elle aura cessé de se battre contre la précaution et qu'elle en fera plutôt un argument de promotion. À titre d'exemple, l'obsession de la viande entretenue par l'industrie n'a pas toujours existé et n'est certes pas l'apanage de toutes les traditions culinaires, loin s'en faut.

Boissons gazeuses et boissons fruitées

Le *Journal of the American Medical Association* a publié à l'été 2004 une recherche démontrant que la probabilité de développer un diabète de type 2 augmente significativement avec la consommation régulière de boissons gazeuses. Les personnes consommant plus d'un tel breuvage par jour ont vu leur risque de développer un diabète de type 2 augmenter de 83 %. L'étude menée par des chercheurs indépendants conclut que la prévention de l'obésité et du diabète de type 2 devrait passer, entre autres stratégies, par une réduction de la consommation de boissons sucrées.

Aux États-Unis, entre 1977 et 1997, la consommation de boissons gazeuses a augmenté de 61 % chez les adultes et a plus que doublé chez les enfants. En 2000 seulement, au Canada, il en a été consommé en moyenne plus de 110 litres par personne. C'est énorme, d'autant qu'une canette de 355 ml contient en moyenne 9 cuillères à café de sucre et, dans certains cas, plus de 11 cuillères, sans bénéfice nutritif aucun.

Le principe de précaution incite à les éviter, de même que leur version diète, au profit de l'eau – voire d'une eau pétillante additionnée d'un soupçon de vrai jus pour les amateurs. Les eaux pétillantes parfumées aux fruits conviennent aussi. Le magazine *Protégez-vous* d'août 2004 a présenté une étude fouillée sur les bénéfices réels et supposés des eaux embouteillées. De fait, les boissons gazeuses et fruitées détournent un besoin simple et facile à combler, celui de s'hydrater avec de l'eau, vers la consommation d'un mélange totalement dénaturé et pein d'additifs.

Fait étonnant, à l'usage, on devient aussi accro à l'eau qu'aux boissons frelatées, sans mettre de sucre dans son moteur.

L'industrie des boissons gazeuses prétend quant à elle que le lien entre la consommation de boissons sucrées et l'obésité est loin d'être établi. L'industrie précise que certains facteurs occultés sont sans doute en jeu – facteurs reliés au fait que les consommateurs de boissons sucrées ont souvent l'habitude de fumer plus, de manger davantage et de bouger moins.

Évidemment, l'industrie ne voit aucun intérêt à pousser les recherches plus avant pour vérifier son hypothèse. Une fois encore, la loi du cobaye règne en maître, loi dont les consommateurs font les frais. Pis encore, on ne cesse d'augmenter le format de ces boissons et la publicité encourage fortement les enfants à consommer ces boissons vendues à très bas prix, comparé à celui des vrais jus de fruits.

Le principe de précaution n'exige pas que soit démontré avec certitude l'existence d'un lien entre la consommation de boissons gazeuses et certains problèmes de santé. De telles recherches exigent beaucoup de temps et des sommes importantes. Mais la seule probabilité d'un lien entre boissons sucrées et dommages pour la santé devrait suffire à nous en éloigner définitivement.

Sur la foi d'études similaires, des groupes de consommateurs états-uniens ont demandé que les 13 experts réunis par l'administration Bush pour mettre à jour la pyramide alimentaire américaine, l'équivalent du *Guide alimentaire canadien,* encouragent clairement les Américains à diminuer leur consommation de boissons et d'aliments sucrés.

Sept des 13 membres de ce groupe, soit plus de la moitié, étaient liés de près à l'industrie agroalimentaire, et l'administration Bush a refusé de les remplacer malgré les représentations en ce sens faites par les groupes de consommateurs. De façon prévisible, les 13 experts se sont contentés de conclure : « Un apport réduit en sucres ajoutés (particulièrement en boissons sucrées) peut être bénéfique pour atteindre les apports recommandés en nutriments et pour le contrôle du poids. » Une langue de bois bien loin de la mobilisation requise par la santé publique, mais assez sucrée pour satisfaire pleinement l'industrie du sucre et des boissons idoines.

Fruits, légumes et pesticides

Lorsqu'on parle de pesticides, il importe avant toute chose de souligner qu'il n'est en aucun cas indiqué de diminuer sa consommation de fruits et de légumes. Au contraire. On ne mange jamais assez de ces aliments. Et trop de gens n'en consomment pas assez. Il s'agit plutôt de faire les bons choix et d'appliquer, une fois encore, le principe de précaution, notamment en ce qui concerne les pesticides.

En fait, la consommation annuelles de légumes au Canada est passée de 103 kg par personne en 1980 à 130 kg en 2000, mais un peu plus de la moitié de cette dernière est encore constituée de pommes de terre.

La pomme de terre

La pomme de terre est un des légumes qui contenaient le plus de résidus de pesticides lors des prélèvements effectués pour constituer la liste reproduite plus loin dans cet ouvrage. Par ailleurs, la pomme de terre cuite à température élevée, comme pour les frites et les croustilles, dégage de l'acrylamide, une substance reconnue cancérogène chez les animaux et qui pourrait potentiellement l'être chez l'humain – selon les catégories scientifiques de cancérogènes.

La pomme de terre (suite)

Comme c'est souvent le cas, des études supplémentaires sont encore requises pour bien connaître ses effets sur l'humain, les résultats sont attendus d'ici trois ou quatre ans. Il s'agit d'une substance douteuse, possiblement toxique, que nous suggère d'éviter la précaution. Le principe du plaisir, heureusement, tolère ici encore certains écarts…

Les experts de l'Organisation mondiale de la santé et de la FAO ont conclu que la forte concentration d'acrylamide dans les aliments comme les frites, les croustilles et les beignets est très préoccupante. Ils recommandent donc d'en réduire la consommation.

En septembre 2004, un porte-parole de Santé Canada s'illustrait par son jovialisme en affirmant qu'il ne voyait aucune utilité au projet de la Californie d'obliger les établissements de restauration rapide à inscrire sur leurs emballages de frites une mention disant : « Ceci contient de l'acrylamide, une substance potentiellement cancérigène. »

Plus les résidus de pesticides sont concentrés, plus on s'élève dans la chaîne alimentaire : 5 % des pesticides qui aboutissent dans notre assiette proviennent des fruits et légumes, 1 % provient des céréales, tandis que 23 % viennent des produits laitiers – surtout des plus gras – et 55 % proviennent des viandes. Voilà qui milite sans réserve pour une consommation accrue de fruits et de légumes, voire de protéines végétales, et qui renforce la théorie voulant que les polluants chimiques contenus dans les gras animaux affectent la santé tout autant, sinon plus, que les gras eux-mêmes.

Ce qui ne veut pas dire que les végétaux ne contiennent pas de pesticides. De fait, une étude récente (Fenske, Curl *et al.*, 2002) a démontré que les enfants qui mangent surtout des fruits et légumes bio affichent des taux de résidus de pesticides beaucoup plus faibles.

Le dossier des pesticides n'est pas davantage exempt de double langage et d'attitudes contradictoires. À titre d'exemple, la Société canadienne du cancer soutient que rien à ce jour ne prouve qu'il soit préférable de manger bio plutôt que non bio. Du même souffle et dans le même paragraphe, la société ajoute : « Une recommandation demeure de mise : il est important de bien laver tous les fruits et les légumes avant de les consommer. » Cette recommandation ne témoigne-t-elle pas à elle seule du risque représenté par les pesticides ? En refusant de prôner ouvertement la précaution, la SCC contribue à alimenter la confusion.

Au Québec, le caractère bio des aliments constitue une appellation contrôlée qui offre une très bonne garantie aux consommateurs. Le Québec a le mérite d'être l'unique province à exiger qu'un produit bio obtienne une certification d'un organisme reconnu avant de pouvoir être vendu en tant que tel. Le Conseil des appellations agroalimentaires du Québec (CAAQ) est chargé de l'accréditation des organismes de certification. Cette législation, comme celle qui contrôle les pesticides à des fins ornementales, témoigne de l'impact intéressant que l'on doit au financement public des caisses électorales légué par René Lévesque : enfin, l'intérêt public a préséance sur celui des groupes défendant les seuls intérêts de l'agriculture conventionnelle.

Comme c'est le cas pour d'autres produits chimiques douteux, les pesticides sont de plus en plus considérés par la recherche comme des causes probables de dommages irréversibles, notamment chez les enfants. La première étude menée au Canada sur la pollution du corps des enfants de banlieue par les pesticides utilisés autour de la maison révélait en octobre 2004 que les petits Québécois de trois à sept ans sont plus atteints que les petits Américains et Italiens, et qu'ils le sont parfois de façon importante. Comme les autres groupes plus sensibles à la pollution chimique – les fœtus, les nourrissons, les femmes enceintes, les personnes âgées et les personnes dont le système immunitaire est affaibli –, les enfants ont tout particulièrement besoin d'être protégés.

Conseiller scientifique en prévention et en toxicologie à l'Institut national de la santé publique du Québec et coauteur de cette étude, Onil Samuel conclut : « Il faut appliquer le principe de précaution. [...] On croit que les risques demeurent faibles. Cependant, considérant que plusieurs autres produits sont utilisés au Québec, qu'on ne les a pas mesurés dans cette étude-ci et qu'on ne connaît pas les risques des expositions combinées, on ne peut rien conclure. » (*La Presse,* 19 octobre 2004, A1.)

Élément très important des résultats de cette étude, les insecticides – dont la présence est beaucoup plus importante (dans 99 % des échantillons) que celle des herbicides (dans 5 % des échantillons) – présentaient des niveaux trop élevés pour n'être reliés qu'à des épandages.

L'étude conclut en effet que les insecticides retrouvés dans le corps des enfants proviennent probablement d'une « source d'exposition comme l'alimentation, qui serait par hypothèse la même pour tous ». (*La Presse, op. cit.*) Mais d'autres recherches seront nécessaires pour vérifier cette hypothèse et comprendre les raisons de ces taux très élevés de pesticides dans l'organisme des enfants du Québec.

Entre-temps, « il faut prendre tous les moyens pour diminuer les risques d'exposition », explique Onil Samuel (*La Presse, op. cit.*). La possibilité que l'intoxication des enfants par les insecticides vienne des aliments milite, selon le principe de précaution, pour que nous adoptions toutes les mesures les plus susceptibles de les protéger – dont l'utilisation de la liste des fruits et des légumes les moins pollués.

Les effets des pesticides identifiés par la recherche

Une revue de la littérature scientifique effectuée par le Environmental Working Group (EWG) a permis de repérer certains effets des pesticides.

Les effets des pesticides identifiés par la recherche (suite)

Parmi les pesticides qui constituent des perturbateurs endocriniens, on a relevé le vinchlozoline, un fongicide largement utilisé qui a des effets démasculinisant, dits antiandrogènes (EPA 2000), l'endosulfane, un proche parent du DDT avec des propriétés œstrogènes, qui est le pesticide le plus souvent retracé dans les aliments (EPA 2002, USDA 1994-2001), et l'atrazine, un désherbant avec large spectre d'activité hormonale qui pollue l'eau potable d'environ 20 millions d'États-Uniens (EWG 1999, EWG 1995).

Malgré ces connaissances, note l'EWG, il n'existe pas de consensus quant aux effets de ces perturbations sur les systèmes endocrinien, nerveux et immunitaire. La recherche repère plus rapidement les dangers possibles et probables des pesticides qu'elle ne découvre leurs mécanismes et leurs effets précis, faute de moyens.

Une révision des 405 pesticides autorisés avant 1994 au Canada devait être terminée en 2006, mais à ce jour, seule une minorité d'entre eux a été réévaluée. Les réévaluations sont loin d'être anodines, puisqu'elles donnent lieu au retrait de plusieurs substances et à l'adoption de mesures de contrôle strictes pour de nombreuses autres. Aux États-Unis, une réévaluation similaire depuis 1996 a entraîné le retrait ou le contrôle sévère d'une douzaine d'entre elles.

Il faut prendre note que lorsque les gouvernements interdisent des pesticides, ils n'admettent jamais que leur présence antérieure dans l'alimentation n'était pas sécuritaire pour la santé. Ils parlent en termes de sécurité accrue plutôt que de dangers passés, ce qui constituerait une reconnaissance de responsabilité, qui ouvrirait elle-même la porte à d'éventuelles poursuites judiciaires – pour les gouvernements et pour l'industrie. Pareille langue de bois de la part des instances mêmes qui sont censées servir de rempart contre les dangers complexes de notre monde alimente la confusion autant qu'elle sape la crédibilité desdites instances.

Le gouvernement, aux prises avec des ressources limitées, est évidemment dépassé par l'ampleur de la tâche qu'impose la révision des 405 substances. Il n'est d'ailleurs pas logique qu'il n'appartienne pas plutôt aux fabricants d'apporter ces preuves d'innocuité pour les substances présentant un potentiel de commercialisation qui le justifie – comme ce devrait bientôt être le cas en Europe. Entretemps, patiente, la population consent à servir de cobaye pour vérifier la nocivité des substances utilisées. Mais il pourrait en être autrement. À preuve, le Danemark a réduit de 30 % son utilisation de pesticides depuis 1996.

Il ne faut surtout pas oublier, comme le rappelle le Environmental Working Group (EWG), que des gouvernements ont prétendu que des pesticides hautement toxiques comme le DDT, le chlordane et le dursban étaient sécuritaires jusqu'au dernier moment avant qu'ils ne soient bannis.

Le EWG explique qu'en général les fabricants ne fournissent, à la demande des gouvernements, que les résultats de tests conçus pour repérer les effets toxiques les plus évidents produits par des quantités élevées de substances. Fabricants et haut fonctionnaires américains et canadiens peuvent ainsi dire qu'il « n'y a aucun danger *sur la base des informations que nous avons* ». (John Salminen, chef de l'évaluation des produits chimiques pour la santé, Santé Canada, à propos des BPC retrouvés dans le saumon, *Protégez-vous,* août 2004, p. 19.)

Au vu de ce que démontre la recherche de pointe, pareille affirmation déconsidère aujourd'hui sans appel ceux qui la font. Le chef de l'évaluation de Santé Canada n'a qu'à enlever de son bureau l'information qui ne convient pas à l'industrie pour affirmer impunément que les pesticides sont sécuritaires « sur la base des informations que nous avons ».

Le EWG ajoute que, selon les études disponibles, les gens sont intoxiqués par tellement de substances, des centaines, qu'il est devenu impossible d'attribuer à l'une ou à l'autre la responsabilité d'une maladie spécifique – ce qui empêche donc de satisfaire au critère de certitude requis par la loi pour contrôler les substances. L'impossibilité actuelle d'atteindre cette certitude, loin de constituer un motif de laisser-aller, est plutôt au cœur de l'urgence d'agir préconisée par le principe de précaution pour l'ensemble des substances douteuses que sont les produits chimiques.

EWG ajoute en revanche qu'il existe déjà pour quelques substances précises, dont les BPC et le plomb, un faisceau d'évidences quant à l'impact irréversible de doses minimales, à certaines périodes critiques, sur l'apprentissage et le comportement (CDC 2001, CDC 2003, EWG 2003, ATSDR 1999, ATSDR 2000).

En date du 23 avril 2004, le Collège des médecins de famille de l'Ontario recommandait fortement que les gens réduisent leur exposition aux pesticides partout où cela est possible. Cette conclusion résulte d'une révision exhaustive de la littérature scientifique sur l'impact qu'ont les pesticides sur la santé humaine.

« Plusieurs des problèmes de santé reliés à l'usage des pesticides sont sérieux et difficiles à soigner – nous défendons en conséquent la réduction de l'exposition aux pesticides et la prévention des dommages comme l'approche la plus appropriée », dit la docteure Margaret Sanborn, coauteure de l'étude. (Traduction de l'auteur.)

Parmi les cancers associés aux pesticides, on compte ceux du cerveau, de la prostate, du rein et du pancréas. La leucémie leur est aussi associée, à tel point qu'il est suggéré qu'une action politique soit entreprise. La cohérence du lien entre pesticides et troubles du système nerveux a été jugée « remarquable ». Parmi les problèmes neurologiques, on compte les maladies de Parkinson et d'Alzheimer, ainsi que la sclérose latérale amyotropique.

Rappelons que des études du Center for Disease Control (CDC) des États-Unis sur la soupe chimique corporelle des Américains ont révélé la présence moyenne de 13 pesticides chez les gens (CDC 2003). Les résultats préliminaires de recherches similaires menées au Québec ressemblent à ceux du CDC américain.

Onil Samuel, spécialiste des pesticides au Centre de toxicologie du Québec, affirme ne pas croire que les niveaux de pesticides retrouvés chez les gens par le CDC américain doivent nous inquiéter. Pourtant, il disait à un journaliste de *La Presse* (12 mai 2004, A1) qu'il faut « prendre des moyens pour [en] restreindre l'exposition et l'utilisation, parce qu'il y a trop d'incertitude, entre autres sur les effets combinés et les effets à faible dose à long terme ».

On ne doit pas « s'inquiéter », mais il faut se « protéger », double langage qui confondrait le plus zélé des bedeaux bienveillants.

Partout dans le monde, il est nécessaire de se protéger des pesticides sans attendre que les risques soient totalement confirmés, affirmait spécifiquement à la fin de 2003 le docteur Jenny Pronczuk, du Programme international sur la sécurité chimique – une agence tripartite formée de l'Organisation mondiale de la santé (OMS), de l'Organisation internationale du travail (OIT) et du Programme des Nations Unies pour l'environnement (PNUE). C'est ce qui s'appelle un consensus des plus hautes autorités internationales ayant comme priorité la santé des populations et non de quelques intérêts économiques.

Le docteur Pronczuk souligne que les travailleurs agricoles de par le monde, leur famille et tout particulièrement les enfants sont les premiers à subir ces risques. Il y a en effet un double standard pour les produits, selon qu'ils sont destinés aux pays riches ou consommés localement – sans compter que ceux qui sont impropres à l'exportation à l'échelle internationale sont détournés vers les marchés locaux.

Au Québec, à compter d'avril 2006, plusieurs pesticides utilisés à des fins ornementales pour le gazon seront interdits un peu partout sauf sur les terrains de golf – des lieux moins fréquentés par les enfants. Il est recommandé de nettoyer les chaussures sur le site même des terrains de golf, après les parcours, pour éviter d'acheminer ces substances à la maison. On conseille même de laver les vêtements de golf séparément des autres vêtements.

Les 12 fruits et légumes les plus pollués

Une étude menée entre 1992 et 2001 par la Food and Drug Administration des États-Unis a dénombré la présence de 192 pesticides dans 46 fruits et légumes de consommation courante. Ces aliments ont presque autant de chance d'aboutir dans nos assiettes au Québec et au Canada qu'aux États-Unis, puisque les pratiques agricoles en vigueur au Canada sont pratiquement les mêmes que celles des États-Unis.

La revue *Protégez-vous* d'octobre 2004 rapporte que les relevés canadiens et québécois pour 2001-2002 révèlent la présence de pesticides dans un peu plus de 20 % des fruits et légumes frais évalués (canadiens et importés), mais seulement 1 ou 2 % dépassaient les normes autorisées – normes qui sont sujettes à caution, puisque non inspirées par le principe de précaution. Il est à noter que si les substances évaluées sont en hausse, toutes les substances ne sont pas encore évaluées. Mais selon ces mesures officielles, la pollution par les pesticides est en baisse.

Il est important de garder une règle simple à l'esprit : il est préférable d'acheter des aliments cultivés dans notre région, puisque ce faisant, on évite de consommer aussi les fongicides requis durant le transport des fruits et des légumes frais sur de longues distances. Sans compter que la consommation de produits locaux contribue à diminuer significativement le smog urbain relié au transport par camions diesel – transport responsable à lui seul de 30 % du smog. De même, les produits locaux sont moins susceptibles d'avoir été enduits de cette fameuse cire qui a fait la manchette au Québec à l'automne 2003 et qui contient une substance pour le moins douteuse, la morpholine.

La morpholine

Santé Canada soutient que la morpholine contenue dans la cire enrobant certains fruits et légumes ne présente pas de risques pour la santé. Pareil avis pourrait être pris au sérieux si Santé Canada n'avait pas pour principe que soit démontrée avec certitude la dangerosité d'une substance avant d'admettre qu'elle représente un risque. La probabilité d'un tel lien ne suffit pas pour que la substance soit déconseillée aux yeux de cet organisme, qui a pourtant comme mandat la protection de notre santé.

On suspecte pourtant qu'un dérivé cancérogène de la morpholine, la N-nitrosomorpholine, peut se former dans l'organisme. Et cette substance éveille d'autant plus de soupçons qu'elle est interdite comme additif ou comme agent de transformation. On parle donc ici d'un cancérogène *possible*, ce qui est moins risqué qu'un cancérogène *probable* ou *certain*. On tentera tout de même de l'éviter autant que faire se peut, en attendant que la recherche nous en apprenne plus.

Selon les experts, la cire dont on enduit les fruits et les légumes ne se dissout pas à l'eau et ne peut être complètement enlevée même avec du savon. Il n'y a aucun problème tant que la pelure de ces produits n'est pas comestible, comme pour l'ananas et l'avocat. Par contre, les poivrons, cerises, pommes et pêches, par exemple, qui appartiennent déjà aux produits les plus pollués par les pesticides, perdent encore plus de leur attrait lorsqu'ils sont enrobés avec de la cire.

À défaut de manger des fruits et légumes exclusivement bio, ce qui serait justifié selon la recherche déjà citée, le principe de précaution indique d'en éviter certains et d'en préférer d'autres, car les résidus de pesticides ont été relevés en quantités inégales selon les sortes.

Les fruits et légumes de l'agriculture conventionnelle à éviter en priorité peuvent aussi être remplacés par des produits de culture biologique. La Fondation québécoise en environnement ajoute qu'en plus d'être bénéfiques pour notre santé, les aliments de culture biologique sont issus de pratiques agricoles « moins dommageables à l'environnement que les méthodes traditionnelles, lesquelles contribuent largement à la pollution des cours d'eau de la planète, à l'amincissement des sols ainsi qu'à la désertification ».

Pareillement, la culture conventionnelle du coton dans près d'une centaine de pays repose sur l'utilisation intensive de pesticides cancérogènes dont une bonne part va éventuellement polluer les nappes d'eau. On ne mange pas le coton, mais on boit de l'eau. Le choix d'un coton de culture biologique appartient par conséquent à la palette de mesures de précaution qui contribuent à la protection de notre santé – sans compter celle du million de travailleurs de cette industrie.

Il ne faut pas se surprendre si les producteurs des aliments ici désignés comme significativement pollués par les résidus de pesticides contestent ces résultats : leur propre survie financière est en jeu. On ne refuse pas de compatir avec eux, mais la précaution nous encourage à suivre les consignes dictées par les études de chercheurs indépendants n'ayant d'autre intérêt que la santé publique. Le désir de se protéger est tout à fait légal – au moins autant que celui d'utiliser pour la culture d'aliments des pesticides à risques.

Le fabricant de yogourt bio Stonyfield Farm, de concert avec l'Environmental Working Group (EWG) états-unien, rendait disponible en octobre 2003 un précieux guide d'achat sur les pesticides dans les fruits et légumes (*Shopper's Guide to Pesticides in Produce*). Il s'agit d'une mise à jour d'une initiative antérieure. On peut l'obtenir sur Internet, en version anglaise seulement, au www.foodnews.org.

Le EWG estime que l'utilisation de son guide peut réduire jusqu'à 90 % l'apport en pesticides venant des fruits et des légumes, si on a pour habitude de manger surtout les plus pollués d'entre eux. Manger quotidiennement les 12 fruits et légumes les plus pollués nous expose à près de 20 pesticides par jour, alors que manger les 12 moins pollués ne nous expose qu'à un peu plus de deux pesticides.

On a vu que plus les pesticides font l'objet des analyses qui auraient dû précéder leur utilisation, plus il s'en trouve qui sont retirés du marché à cause des dangers qu'ils représentent. Les personnes qui ne désirent pas servir de cobayes, en attendant la fin de la réévaluation en cours, ont tout intérêt à s'inspirer du guide du EWG. Un « panier précaution » plus élargi, établi avec des données gouvernementales habituellement moins critiques, est présenté plus loin.

Voici les 12 fruits et légumes populaires les plus pollués par les résidus de pesticides. Il est recommandé de les éviter ou de les acheter bio.

Pêches, pommes, fraises, nectarines, poires, cerises, framboises, raisins importés, épinards, poivrons, céleris et pommes de terre.

Puis les 12 fruits et légumes de consommation courante les moins pollués par les résidus de pesticides.

Bananes, kiwis, mangues, papayes, ananas, asperges, avocats, brocolis, choux-fleurs, maïs, oignons, pois.

Source : Environmental Working Group, octobre 2003.

La pomme

La pomme est un symbole de santé en Amérique et pourtant elle apparaît sur la liste des fruits à éviter… Pourquoi ? Tout simplement parce que le principal insecte prédateur de la pomme – le charançon de la prune – est si puissant qu'un verger bio, donc sans insecticides, perd systématiquement de 80 à 90 % de sa production à l'est des Rocheuses, où vit le charançon.

La pomme (suite)

Un chercheur de pointe dans ce domaine, au Québec, suggère d'extraire de la pomme le cône de pelure qui entoure la tige. C'est à cet endroit formant une sorte de cuve que vont surtout s'accumuler les insecticides tombés sur la pomme.

Laver et rincer la pomme n'ont pas un effet très significatif, puisque les pommes testées et étudiées par l'EWG l'étaient après avoir été lavées comme il est d'usage de le faire. Laver demeure utile pour enlever des surplus de polluants et des bactéries issues de la manipulation. En revanche, enlever la pelure retire au fruit une bonne partie de sa valeur nutritive.

L'ACIA, l'Agence canadienne d'inspection des aliments, a également établi une liste des fruits et légumes les plus et les moins susceptibles de contenir des polluants chimiques. La voici à titre comparatif. Il ne faut pas oublier qu'à l'heure actuelle les agences gouvernementales sont en conflit d'intérêts ; elles sont donc moins critiques de crainte de déplaire à l'industrie.

Relevés de l'ACIA

Fruits et légumes les plus pollués par les pesticides

Production canadienne : pommes, bleuets et fraises, choux-fleurs, choux chinois, laitues, poivrons, pommes de terre, tomates.

Importation : bleuets, pommes, raisins, oranges et pamplemousses, céleris, laitues, épinards, brocolis et poivrons.

Relevés de l'ACIA (suite)

Fruits et légumes les moins pollués par les pesticides

Production canadienne : aucun fruit, asperges, maïs en épis, échalotes (oignons verts), pois, courges et courgettes.

Importation : aucun fruit, brocofleurs, noix de coco, maïs en épis, panais, bananes plantains, navets et citrouilles.

« Panier précaution » élargi de fruits et de légumes

La combinaison des résultats de l'ACIA et du EWG permet de constituer un « panier précaution » élargi de fruits et de légumes de production conventionnelle, panier qui présente l'avantage important d'offrir plus de souplesse. On peut parler d'un panier de compromis, ce qui n'est pas un déshonneur, puisqu'il arrive effectivement que le mieux soit l'ennemi du bien.

La précision sur l'origine des aliments est importante. Les germinations peuvent remplacer les laitues, qui n'apparaissent pas sur les listes de légumes les moins pollués. Et la canneberge n'apparaît pas sur les listes de fruits les plus pollués, contrairement aux autres petits fruits.

Asperges, avocats, brocolis (canadiens), brocofleurs, bananes plantains et choux-fleurs (importés), citrouilles, courges, courgettes, échalotes (oignons verts), maïs, navets, oignons, petits pois ; puis bananes, kiwis, mangues, papayes et ananas.

Que la pomme soit absente de pareilles listes pose des problèmes de crédibilité et de commodité majeurs. Il y a pourtant bel et bien consensus dans les avis inspirés par le principe de précaution. À défaut d'éliminer la pomme, on peut adopter la mesure de précaution suggérée plus haut, soit extraire de la pomme la pelure qui entoure la tige.

Pour ce qui est des délicieux petits fruits que sont les bleuets, les fraises et les framboises, qui sont aussi reconnus pour leurs propriétés anticancérogènes, il est préférable de les choisir bio, autant que possible. Rappelons que la canneberge de plus en plus populaire n'apparaît pas sur les listes de fruits les plus pollués.

Soulignons que les confitures faites à partir des fruits les plus pollués sont susceptibles de présenter les mêmes risques que les fruits d'origine. Les consignes de précaution valent donc aussi pour elles. Soit dit en passant, la culture des bleuets du Lac-Saint-Jean n'utiliserait pratiquement pas de pesticides et les bleuets n'apparaissent pas dans la liste des 12 fruits à éviter.

Pareille embrouille sur le fait de pouvoir manger certains fruits délicieux ou d'avoir à les éviter n'est pas le résultat d'une attitude inutilement tatillonne chez les experts de la précaution. Cette embrouille est simplement la conséquence de cinquante années de négligence dans la gestion de l'ensemble des produits chimiques. Mais l'heure du ménage a sonné. Chaque choix de précaution posé par le consommateur envoie un électrochoc d'un bout à l'autre de l'industrie agroalimentaire, sans cesse à l'affût de ce qui peut plaire.

De jeunes agriculteurs québécois tentent actuellement d'introduire en Amérique des variétés de fraises plus résistantes qui présenteraient l'avantage significatif de requérir moins de pesticides. Ils méritent tous nos encouragements pour ces efforts inspirés par la précaution.

Addition intéressante aux produits listés, les graines germées – de pois, de radis et de brocoli, par exemple – sont généralement cultivées sans pesticides et fourniraient même dans certains cas beaucoup plus de substances nutritives que le légume lui-même. Puisqu'elles sont destinées à être mangées crues, il importe de les consommer fraîches après les avoir rincées à grande eau. Les conserver au réfrigérateur et les jeter dès qu'elles dégagent une mauvaise odeur ou qu'elles sont visqueuses.

Rappel 2-5-30

Si l'impact de la pollution chimique dans nos corps reçoit de plus en plus l'attention qu'il mérite, il ne faut pas mettre de côté la règle générale du 2-5-30 (2 fruits, 5 légumes, 30 minutes d'exercice) pour optimiser le fonctionnement de l'organisme, maximiser ses ressources d'autoguérison et générer le « flux », expérience de contentement à laquelle nous convie la psychologie.

L'Australie a découvert que deux fruits et cinq légumes est une quantité minimale de fruits et de légumes qui plaît à la majorité comme objectif santé significatif. L'Organisation mondiale de la santé (OMS) évalue quant à elle que trente minutes d'exercice quotidien soutenu peuvent transformer la santé d'une personne, ne serait-ce qu'une marche à bon rythme. Enfin, David Servan-Schreiber (*Guérir*, Laffont, 2003) rapporte que trente minutes d'exercice de cohérence par jour transforme le processus même du vieillissement, études dans la grande entreprise à l'appui.

Exercice de cohérence

Prendre deux grandes respirations de stabilisation, lentes et profondes : suivre l'expiration jusqu'à sa fin et faire une pause, sans forcer, le temps que s'enclenche à nouveau l'inspiration.

Porter ensuite l'attention sur la région du cœur et poursuivre les respirations lentes et profondes : imaginer que les respirations traversent la région du cœur et le bercent, l'enrichissant d'oxygène et le nettoyant des tensions.

Exercice de cohérence (suite)

Soutenir enfin la sensation d'expansion ou de chaleur qui se manifeste dans la région du cœur, souvent de façon hésitante : pour la soutenir tout en continuant la respiration, évoquer un sentiment de gratitude ou d'amour en appelant l'image d'un enfant aimé, d'un animal de compagnie, d'une scène de nature ou d'une activité réjouissante comme la pratique d'un sport – la prière conviendra à certains. Le sourire léger qui monte parfois aux lèvres par la suite signale l'instauration de la cohérence.

Après un mois de pratique, le taux moyen de l'hormone dite « de jouvence », la DHEA, avait doublé chez les participants, et celui de l'hormone du stress, le cortisol, avait diminué de 23 %. Après trois mois, les déclarations de tension, d'insomnie, d'épuisement, de douleurs (mal de dos inclus), d'anxiété et de mécontentement avaient chacune baissé en moyenne de 79,2 %. Si l'exercice avait la forme d'une pilule, on parlerait d'une révolution.

Il s'agit d'un véritable entraînement liant rythme cardiaque et respiration pour optimiser le fonctionnement du cerveau émotionnel et des systèmes régulateurs du corps. Il ne s'agit pas de relaxation, mais de disposition à fonctionner de façon optimale en toute circonstance. Des bénéfices majeurs concernant l'anxiété, l'épuisement, les douleurs et le système immunitaire se produisent en moins de trois mois, et même avant. Et c'est gratuit ! À intégrer dans sa routine quotidienne par temps chaotiques ou chaque fois que faire se peut, après une période initiale d'entraînement quotidien de trente minutes.

Ajoutons à cela un supplément quotidien de 1 g d'oméga-3 (apport combiné en AEP et ADH, avec un rapport minimal de 7 pour 1). Un tel apport est calibré pour combler la prépondérance nocive des oméga-6 dans la diète des consommateurs des pays industrialisés (rapport de 20 pour 1 avec les oméga-3, au lieu du rapport idéal de 1 pour 1). La prépondérance des oméga-6 est associée à la fréquence des troubles de l'humeur tels que l'anxiété, la dépression et la bipolarité, de même qu'à celle des troubles avec une composante inflammatoire, comme les troubles du système immunitaire.

La laitue

La laitue romaine est l'aliment cultivé au Québec qui a le plus souvent dépassé les normes de teneur en pesticides, ces dernières années, selon les analyses du gouvernement québécois. La fraise québécoise appartient aussi aux aliments les plus à risque, selon les mêmes évaluations, ce qui corrobore la liste des 12 mécréants du EWG. Que faut-il en penser ?

Le gouvernement québécois s'est donné comme mandat d'évaluer la pollution laissée dans les fruits et les légumes par l'usage des pesticides. Comme c'est souvent le cas pour l'ensemble des substances chimiques, le gouvernement en est réduit à utiliser des moyens financiers très limités pour accomplir la tâche énorme de retracer dans les aliments l'ensemble des pesticides homologués et leurs combinaisons.

En réalité, le gouvernement n'évalue la présence dans les aliments que de 185 des 600 pesticides homologués. De plus, on ne connaît encore rien de l'impact croisé et cumulatif du cocktail de pesticides auquel la population est soumise à long terme par la consommation d'aliments variés. À peu de chose près, il n'existe tout simplement pas de recherches de ce genre dans le monde entier.

Enfin, le principe de précaution ne préside pas à la définition des normes auxquelles le gouvernement se réfère pour statuer que telle et telle quantité de pesticides dans un aliment est sans danger. À titre d'exemple, il n'y a aucun seuil en deçà duquel une substance cancérogène peut prétendre être jugée sécuritaire. Seule son absence l'est. C'est d'autant plus vrai s'il s'agit d'une substance bioaccumulative qui s'agglomère au fur et à mesure qu'elle progresse dans la chaîne alimentaire, et s'il s'agit d'un polluant persistant non biodégradable.

La politique du gouvernement se résume à encourager de meilleures pratiques sans mettre à cran l'industrie agricole. En aucun cas la politique québécoise actuelle pour la gestion des pesticides dans l'agriculture ne peut prétendre défendre une norme stricte de santé publique à la lumière des impacts probables des pesticides que révèlent les toutes dernières recherches sur les quantités minimales. Et on ne parle même pas des impacts croisés non encore étudiés de ces substances douteuses qui ne peuvent que susciter un réflexe de prudence dans tout esprit indépendant. Il en va de même pour l'ensemble des gouvernements nord-américains et pour l'ensemble des substances chimiques.

Alors, que penser de la laitue romaine ? Ce légume ne compte pas parmi les 12 fruits et légumes généralement les plus pollués par les pesticides qui sont cités plus haut. Mais la précaution conseille de passer notre tour en attendant que des prélèvements attestent que cet aliment ne dépasse plus les normes, pas même strictes, du gouvernement québécois.

La laitue iceberg et le perchlorate

Durant six mois de l'année, une grande quantité de la laitue iceberg consommée en Amérique du Nord provient d'une région des États-Unis irriguée par le Colorado. Le Environmental Working Group publiait en avril 2003 un avis démontrant la pollution de cette laitue au perchlorate disséminé dans l'environnement par les usines d'armement de la région. Le perchlorate influe sur la thyroïde et la production hormonale, ce qui peut affecter le développement du fœtus. En 2004, l'administration Bush endossait une législation en cours d'étude dégageant le Pentagone et l'industrie militaire de toute responsabilité quant au nettoyage des sites contaminés par des substances comme le perchlorate. De tels gestes sont à l'opposé même d'une politique appuyant la précaution requise pour décontaminer l'héritage de la révolution chimique et de la révolution industrielle, et pour protéger les populations.

Il convient donc de vérifier auprès de notre épicier l'origine de la laitue iceberg que l'on veut consommer. Le principe de précaution commande de s'abstenir de celle qui provient des régions longeant le Colorado. Notre soupe chimique corporelle est déjà assez consistante, selon la recherche récente, pour ne pas l'assaisonner de substances que l'on peut facilement éviter.

Laver ou non fruits et légumes

On nous répète souvent de bien laver les fruits et les légumes avant de les consommer, mais est-ce suffisant pour éliminer tous les pesticides ? En fait, l'efficacité du lavage pour débarrasser fruits et légumes des pesticides est loin d'être clairement établie.

Certains pesticides pénètrent dans l'aliment alors que d'autres sont conçus pour s'attacher à lui. En conséquence, même s'il est préférable de bien laver les aliments pour aider à réduire la présence des pesticides et d'autres saletés, cela n'élimine pas entièrement les pesticides. Retirer la pelure réduit davantage le taux de pesticides sans l'éliminer non plus, mais cela réduit aussi l'apport nutritif.

Laver les fruits et légumes à l'eau chaude, mais non brûlante, demeure cependant nettement utile pour nous protéger des intoxications alimentaires reliées à la contamination due à leur manipulation ou aux eaux d'irrigation. Il est préférable d'éviter de les laver trop à l'avance. Si on est porté à les consommer directement sans préparation, une bonne façon de procéder est de les mettre à tremper durant une minute, de les rincer et de les égoutter dès que l'on rentre de l'épicerie. Ne pas les laver avec du savon, car celui-ci peut laisser des résidus.

En résumé, il est important de varier les aliments que nous consommons pour éviter l'absorption systématique d'un polluant spécifique ; de les laver sans savon, de les rincer avant de les manger et enfin de préférer les aliments bio dans la mesure du possible.

En plus de laver les fruits et légumes juste avant leur utilisation, il est bon de débarrasser les légumes feuillus de leurs feuilles de surface. Conserver les germinations au réfrigérateur et ne les manger que fraîches, après les avoir rincées à grande eau. Les jeter dès qu'elles semblent douteuses par l'odeur ou la texture.

Les gras trans

Des estimations conservatrices chiffrent à 30 000 le nombre annuel de décès prématurés aux États-Unis pour troubles coronariens reliés à ces substances synthétiques que sont les gras trans – « transformés ». Des recherches épidémiologiques élèvent cette évaluation à 100 000 décès prématurés par année. Proportionnellement, cela représente 10 000 décès au Canada et 2 000 au Québec. S'ajoute à cela une hausse des cas de diabète de type 2.

Il est pertinent de souligner que les troubles coronariens appartiennent aux maladies qu'on parvient à soigner le mieux. Le nombre de décès cité sous-entend donc une somme considérable de soins et de coûts accaparés par les survivants à ces troubles parfaitement évitables.

L'auteur de ces estimations est le docteur Walter Willett, directeur du département de nutrition à l'École de santé publique de l'Université Harvard. Il qualifie les gras trans de « pire désastre de l'industrie alimentaire dans l'histoire américaine ». Il ajoute : « En Europe, [les industries alimentaires] ont engagé des chimistes et ont retiré les gras trans… Aux États-Unis, elles ont engagé des avocats et des agents de relations publiques… »

Le Danemark a banni les huiles et gras contenant plus de 2 % de gras trans. Son ministre de l'Alimentation a affirmé : « Nous avons placé la santé publique au-dessus des intérêts de l'industrie. »

Les médicaments sous prescription qui ont enregistré la plus forte hausse de leurs ventes au Canada depuis cinq ans sont les statines, conçues pour abaisser le cholestérol. Quatre millions de Canadiens prennent déjà leur comprimé au moment d'aller au lit. Plus de quatre autres millions seraient suffisamment à risque pour s'y mettre, selon les défenseurs de la médicalisation de la santé. Actuellement, au Canada, 79 000 décès sont dus chaque année aux problèmes circulatoires. Il ne coûterait pourtant rien de commencer par interdire le facteur de risque majeur que constituent les gras trans, comme l'a fait le Danemark.

Selon une étude publiée dans le *New England Journal of Medicine*, absorber un seul gramme par jour d'acides gras trans augmenterait les risques de maladie cardiaque de 20 %. Or, les Canadiens consomment en moyenne 10 g d'acides gras trans par jour. Pis encore, les jeunes de quinze à vingt-cinq ans en consomment 38 g par jour, ce qui est inacceptable. C'est ici même, au Canada, qu'est détenu le championnat mondial de la consommation de gras trans.

Une évaluation de la Food and Drug Administration (FDA) des États-Unis révélait de son côté, en 2003, que chaque Américain ingère 6 g de gras trans par jour, la plus grande part venant des produits de boulange industrielle – pains, biscuits, gâteaux – (40 %), de la margarine (17 %) et des mets d'origine animale (21 %). Frites (8 %), croustilles variées (5 %), shortening maison (4 %), vinaigrettes (3 %) et céréales (1 %) complètent le tableau. C'est l'ensemble de la culture alimentaire états-unienne qui baigne dans les gras trans. Celle du Canada ? Elle s'y vautre littéralement.

Un beignet contient 3,2 g de gras trans et une portion large de frites, 6,8 g. Ces deux aliments contiennent ensemble 10 g de gras trans. La dose quotidienne moyenne de chaque Canadien.

Comme dit si bien le groupe de pression BanTransFat, « les gras trans allongent la vie des aliments et diminuent celle des gens ».

Intéressant...

Le beurre, lorsqu'il n'est pas brûlé, est décrit par les études indépendantes comme moins nocif que les gras trans. On peut éviter que le beurre ne brûle trop vite en lui incorporant un soupçon d'huile d'olive, qui, de surcroît, ne contient pas d'oméga-6, qui sont à éviter.

Pour obtenir de la pâte feuilletée, l'addition de saindoux pur, disponible en boucherie, suffira ; il est dépourvu des gras trans contenus dans les pâtes feuilletées du commerce. De grands cuisiniers préfèrent tout de même éviter le saindoux, qui est réputé plutôt difficile à digérer.

Les gras trans sont le résultat de l'hydrogénation des huiles végétales. L'hydrogénation est un procédé créé par l'industrie au début du XXe siècle pour rendre les huiles plus fermes et élever la température à laquelle elles provoquent de la fumée. Elle permet d'utiliser des huiles de moindre qualité, plus économiques.

La présence de gras trans n'est jamais indiquée en soi sur l'étiquette des produits, mais les mentions « partiellement hydrogéné », « hydrogéné » ou « shortening » la confirment.

On note une certaine tendance à la réduction du recours aux gras trans dans l'industrie. Frito-Lay, filiale de PepsiCo et plus grand fabricant d'amuse-gueules salés au Canada, a donné un exemple significatif lorsqu'elle a annoncé en février 2004 qu'elle éliminait tous les gras trans de ses Doritos, Tostitos, Sunchips, Cheetos et Ruffles. Huile de maïs et de tournesol remplaceront désormais les gras hydrogénés. La plupart des croustilles Humpty Dumpty ont déjà éliminé les gras trans depuis quelque temps. Les petits biscuits salés Goldfish de Pepperidge Farm (Campbell), adorés par les enfants, étaient aussi « libérés » des gras trans en février 2004. Les biscuits Oreo, sous la pression d'une poursuite par le groupe BanTransFat, annonçaient leur propre libération en avril 2004.

Le chef de la direction de PepsiCo Canada a pu constater que les nouveaux produits ont beaucoup de succès et que l'argument santé est rentable pour la compagnie.

Mais dans l'ensemble, les lobbies de l'industrie admettent attendre la pression des consommateurs pour répondre, plutôt que de prendre l'initiative de protéger d'emblée leur santé. Certains militent, derrière les habituelles portes closes, pour limiter les avertissements inscrits sur les étiquettes des produits. C'est regrettable, puisque même la Chambre de commerce des États-Unis prévoit que les gras trans vont soulever des vagues de poursuites par les consommateurs.

Il s'est développé une nouvelle sorte de margarine qui n'utilise pas le procédé d'hydrogénation pour solidifier les huiles. Le fabricant ajoute plutôt un peu d'huile de palme et de palmiste pour obtenir un résultat similaire. Le principe de précaution recommande avec insistance de préférer ces nouvelles margarines aux anciennes, en s'assurant tout de même que la liste d'ingrédients ne mentionne pas d'huile hydrogénée. Par ailleurs, la margarine est un aliment industriel contenant divers additifs dont il vaut mieux limiter la consommation. À la cuisson, évitez de trop chauffer la margarine. Mieux, utilisez de l'huile d'olive, qui ne contient pas de ces oméga-6 indésirables.

La précaution devrait donc nous inciter à éliminer les gras trans de notre menu, mais une enquête révélait que seulement 17 % des gens savent ce qu'ils sont et où ils se trouvent.

À l'été 2003, les États-Unis développaient une réglementation similaire à celle du Canada pour obliger l'affichage des gras trans sur les étiquettes des produits ; une mesure plus adaptée aux 17 % des gens amateurs de nutrition qu'au reste de la population. L'intention affichée par le gouvernement canadien, à l'automne 2004, d'interdire les gras trans est un signe beaucoup plus prometteur. Il ne s'agit pourtant guère d'un fait acquis ; des délais considérables sont prévus alors que la santé est déjà menacée au quotidien.

Faudrait-il avoir les yeux « bordés de reconnaissance » devant les initiatives éminemment bénéfiques de groupes comme Frito-Lay, ou plutôt tenir les fabricants pour responsables, judiciairement, d'avoir consciemment utilisé – et de continuer à le faire – des huiles hydrogénées contribuant aux maladies cardiaques de personnes qui n'avaient pas et n'ont toujours pas l'information requise pour se protéger ? Selon les données actuelles, les gras trans ne constituent-ils pas un poison à action lente ? Faudrait-il aussi incriminer nos gouvernements qui, sous prétexte de protéger à la fois la santé de l'industrie et celle des gens, tardent à agir ?

Pareilles questions ne constituent pas des exagérations mais bien le contrepied de cinquante années de négligence. En attendant d'en juger, nous avons le pouvoir d'agir en adoptant les consignes du principe de précaution.

Le maïs soufflé au micro-ondes

Une première étude a été réalisée par la Environmental Protection Agency (EPA) sur les substances chimiques présentes dans le pop-corn à préparer au micro-ondes – des substances libérées lors de l'ouverture du contenant après cuisson.

L'une des substances libérées est le diacétyle, soupçonné par l'Institut national pour la sûreté et la santé d'être à l'origine d'une maladie pulmonaire décelée chez des ouvriers de quatre États américains.

Au vu des résultats de cette étude, la EPA ne juge pas que le risque posé par le diacétyle libéré soit significatif. Seules des études supplémentaires permettront de préciser les quantités de diacétyle présentes, libérées et toxiques. C'est alors qu'il sera possible d'avoir la certitude qu'il est vraiment nocif pour la santé, ou non, d'inspirer les vapeurs libérées par le pop-corn chauffé au micro-ondes.

Ainsi, la EPA ne juge pas que le risque engendré par le diacétyle soit significatif, mais de nouvelles études seraient requises pour en avoir la certitude. On ne parle pas ici d'un risque certain, ni même probable, mais plutôt d'un risque possible. Comme celui de multiples substances.

En réaction au déni systématique de l'industrie quant au risque posé par les multiples substances de la révolution chimique, on peut être tenté d'éviter le danger « possible » de ce type de maïs soufflé. D'ailleurs, que nous dit le principe de précaution ? En présence de substances constituant des causes possibles ou probables de dommages irréversibles, ne pas s'exposer avant d'avoir la certitude de leur innocuité. Il convient donc de les éviter, si nous reconnaissons que la pollution croisée et cumulative de notre corps par d'innombrables substances douteuses exige une vigoureuse dose de précaution immédiate.

Qui plus est, le groupe Loblaws/Provigo offre une variété biologique de maïs soufflé qui présente de meilleures garanties. Elle nous évite entre autres les saveurs artificielles de beurre qui n'ont rien à voir avec l'original. Il semblerait cependant que l'emballage de ce type de produit contienne habituellement des PFC permettant de garder le gras à l'intérieur. Les PFC sont cette substance antiadhésive utilisée pour imperméabiliser les vêtements et éliminer l'adhérence des casseroles au téflon, substance qui s'est révélée être un polluant persistant à risque, omniprésent dans les analyses de sang humain partout dans le monde.

Il n'est pas clair, au moment d'écrire ces lignes, que les sacs de maïs soufflé biologique de Loblaws/Provigo contiennent des PFC : ils laissent échapper avant cuisson un léger film graisseux qui porterait à croire que non.

Œufs

Les œufs conventionnels viennent de pondeuses élevées à cinq dans une cage qui interdit vols et déplacements. Or liberté de mouvement et âge d'abattage tardif donnent des poulets globalement trois fois plus maigres (AFSSA, 2003).

Il n'est pas insensé de craindre un impact négatif de la contention des poules sur la qualité nutritive de leurs œufs, mais cet impact n'est pas documenté à ce jour. Les œufs de poules en liberté éliminent ce risque sans présenter un coût disproportionné.

L'alimentation conventionnelle des poules inclut des sous-produits animaux (gras, farine) dont la présence n'est pas souhaitable selon le principe de précaution. L'alimentation des volailles dites de grains contient aussi un maximum de 10 % de sous-produits animaux.

Une volaille doit être de production biologique ou spécifier qu'elle n'a pas recours aux sous-produits animaux pour que tel soit le cas. Il en va de même pour les œufs.

L'Europe a interdit cet ingrédient. Le phénomène de bioaccumulation des polluants, plus on s'élève dans la chaîne alimentaire, milite contre son utilisation.

Une alimentation riche en gras essentiels que les animaux ne peuvent synthétiser – comme les oméga-3 de la graine de lin – est le facteur influençant le plus la nature elle-même des gras dans la viande et les œufs.

Les oméga-3 se trouvent aussi dans la verdure de la nature, raison pour laquelle une étude parue dans le *New England Journal of Medicine* (1989) notait que les œufs de poules élevées en liberté dans la nature ont 20 fois plus d'oméga-3 que ceux des poules alimentées au grain. Ils ont aussi 30 % moins de gras saturés et un ratio idéal de 1 pour 1 entre oméga-6 et oméga-3 – les œufs de poules au grain ont un ratio indésirable de 20 pour 1 associé aux troubles chroniques les plus courants.

Comme quoi la nature même des aliments de l'agriculture industrielle est totalement transformée selon les pratiques utilisées : pour le meilleur et pour le pire.

Une alimentation de synthèse donne un organisme de synthèse : peut-on douter que la qualité du kilo de viande humaine varie tout aussi certainement que celle du kilo de viande animale, au gré de son alimentation. Le psychiatre français David Servan-Schreiber (*Guérir*, *op. cit.*) considère qu'après les progrès de la chirurgie et des antibiotiques, ceux de la nutrition constituent la troisième révolution de la médecine en un siècle. Il semble plus juste d'englober dans cette troisième vague les mesures d'écosanté contribuant à diminuer toutes les pollutions dans le corps, néfastes pour la santé – celles qui viennent avec les aliments, mais aussi avec la respiration et par contact cutané.

Toutes les pratiques agroalimentaires ne constituent certes pas des progrès pour la santé, mais le potentiel est là pour peu qu'une telle préoccupation se retrouve à l'avant-plan.

À titre d'exemple, l'analyse nutritive des diverses variétés d'œufs de la marque Naturœuf/Narutegg (Burnbrae Farms) révèle, dans leurs œufs Oméga-3, 25 % moins de gras saturés que dans un œuf conventionnel et 14 % moins de cholestérol.

Cette même variété contient environ neuf fois plus de gras oméga-3 que l'œuf conventionnel, soit jusqu'à 40 % de l'apport quotidien normal selon Santé Canada – lequel reste par contre moindre que l'apport suggéré par Servan-Schreiber.

Une autre variété, Naturœuf Naturel, contient encore un peu moins de cholestérol (19 %) que l'œuf conventionnel, mais ses gras saturés sont à peine inférieurs.

Finalement, le blanc d'œuf liquide Omega Pro Naturœuf présente certes un apport en gras similaire à celui du poisson, mais il s'agit d'un mets transformé et onéreux. Il aurait pu convenir aux personnes allergiques au poisson mais, pour quelque raison mystérieuse, sa liste d'ingrédients porte la mention « huile de poisson ».

La variété des œufs offerte par Burnbrae Farms (Naturel, Bio, Oméga-3, En liberté) illustre parfaitement à quel point il est aujourd'hui possible de transformer la nature même des aliments qui atterrissent dans notre assiette. Et tant que l'agriculture conventionnelle n'intègre pas les repères de la précaution dans ses pratiques, elle ne répond pas à une inquiétude aujourd'hui partout présente.

Quelle est la variété d'œuf de Burnbrae Farms préférée par le principe de précaution ? Impossible de conclure.

Le principe de précaution souhaite en priorité l'absence de sous-produits animaux dans l'alimentation des poules, en plus de la réduction au minimum de l'apport en hormones et médicaments joints à l'alimentation, tel qu'offert par les œufs Naturœuf Naturel et Naturœuf Œufs biologiques. Ces derniers sont significativement plus onéreux.

Les grands mangeurs d'œufs devraient par contre préférer les gras moins saturés du Naturœuf Oméga-3, qui ne spécifie malheureusement pas l'absence de sous-produits animaux.

Il s'agit finalement d'un cas «*Appelons la compagnie* » (www.burnbraefarms.com). Mettons à profit ses bonnes dispositions. Demandons que la graine de lin soit ajoutée à l'alimentation des variétés Naturœuf Œufs biologiques et Naturœuf Naturel, et assurons-nous que le Naturœuf Naturel vient bien de poules en liberté comme le Naturœuf Œufs biologiques.

OGM

Tout comme le génie chimique, le génie génétique est susceptible de valoir à l'humanité des trouvailles qui n'ont sans doute pas fini de nous étonner. Le pouvoir de modifier le code génétique des plantes offre à tout le moins un champ de recherche phénoménal sur les possibilités d'accroître la quantité et la qualité des récoltes.

Il est par contre essentiel de gérer les risques associés à l'incontournable probabilité d'incidents. Un exemple de cela est survenu avec les coquilles Taco Bell fabriquées aux États-Unis et vendues aussi au Canada. On a constaté en 2000 la présence, dans les coquilles Taco Bell, de maïs StarLink, variété d'OGM dont l'usage est pourtant interdit dans les aliments humains.

Or, l'évaluation de la propagation des risques biotechnologiques liés aux OGM n'en est qu'à ses débuts. À titre d'exemple, le maïs StarLink contient une protéine qui synthétise le BT, un insecticide capable de neutraliser le principal prédateur du maïs. Même si les risques qu'on retrouve cette protéine dans nos aliments sont faibles, sa présence pourrait être reliée à l'apparition d'allergies. Les données disponibles ne permettent pas de conclure dans un sens ou dans l'autre.

Par ailleurs, les espèces modifiées peuvent contaminer les autres lorsque les cultures sont mal isolées. Il est aussi pour le moins légitime d'entretenir des doutes sur les effets qu'auront les OGM en s'introduisant dans les divers écosystèmes.

Les bénéfices actuels des OGM pour la population se comptent en coûts, au mieux légèrement moindres, mais ces considérations pécuniaires sont sans commune mesure avec les appréhensions qu'ils soulèvent. Ils ne justifient aucune précipitation.

Le chercheur Bernard Sinclair-Desgagné, de l'Université de Montréal, est un des chercheurs qui ne s'élèvent pas, en principe, contre le développement du génie transgénique. Il insiste cependant sur la nécessité impérative de gérer les risques qui lui sont associés en assurant « une mise en œuvre appropriée du principe de précaution » (forum, Université de Montréal, 28 octobre 2002).

Autre effet indésirable potentiel relié à la culture du maïs StarLink, les agriculteurs québécois sont ceux qui respectent le moins la consigne de planter 20 % de la superficie de leurs champs en maïs traditionnel comme zone tampon pour contrôler divers effets pervers liés à la culture des OGM. Attitude délinquante qui va en grandissant. Les conditions réelles de la culture du maïs StarLink font aussi partie des risques que le principe de précaution exige de gérer, si une telle culture doit exister.

Le jeudi 15 avril 2004, le Canada concluait un long processus d'études et de consultations en adoptant une norme d'étiquetage sur les OGM.

La norme stipule qu'il est dorénavant laissé au libre choix de l'industrie alimentaire d'indiquer ou non la présence d'OGM sur les étiquettes des produits. Pour qu'un aliment soit qualifié d'OGM, il devra en outre contenir plus de 5 % d'OGM.

Nonobstant le souhait affiché dans des sondages par 90 % de la population de voir instaurer l'étiquetage obligatoire, et nonobstant l'appui de tous les organismes de défense des consommateurs – comme Option Consommateurs – à ce sujet, les élus canadiens ont décidé, dans leur « sagesse », que l'étiquetage des OGM sera volontaire.

Contrairement à l'Europe, qui a récemment établi des normes selon lesquelles la présence d'à peine 0,9 % d'OGM dans un aliment suffit à le qualifier d'OGM, les élus canadiens ont décidé qu'un aliment devra contenir plus de 5 % d'OGM avant d'être qualifié d'OGM. Plus saugrenu encore, les élus canadiens ont jugé qu'il fallait remplacer l'expression « organisme génétiquement modifié » (OGM) par « produit issu du génie génétique » (IGG).

Il ne reste qu'à prendre acte du préjugé anti-santé publique, anti-précaution et anti-groupes de défense des consommateurs de cette norme. Pareille politique est sans conteste outrageusement tendancieuse, militant en faveur d'intérêts industriels obtus.

Un geste clair et courageux comme celui d'adopter les politiques européennes était à portée de mains ; le gouvernement aurait pu manifester une volonté réelle de prendre le train de la révolution bleue, dont notre santé et notre petite planète ont un besoin impératif. Pour que de tels gestes soient posés, la population devra se faire beaucoup plus exigeante envers ses dirigeants.

À l'heure actuelle, les Canadiens ne mangent pas de maïs en épi OGM, mais jusqu'à 75 % de ce qui vient des cuisines industrielles en contient sous forme de dérivés, comme les sirops et les huiles. Tomates et pommes de terre modifiées s'en viennent et les animaux de boucherie en sont nourris.

Les produits bio sont presque les seuls à en être dépourvus. Greenpeace offre gracieusement un guide à ce propos sur son site Internet.

Le pain

Le magazine *Protégez-vous* de mars 2001 a déjà retracé pas moins de 130 ingrédients dans une centaine de pains de consommation courante. La présence de tous ces additifs plus ou moins douteux, dans l'un des aliments les plus consommés, nous éloigne par trop des trois simples ingrédients nécessaires à la confection du pain – farine, eau et sel.

Il est possible de garder frais et savoureux les pains sans agents de conservation qui ne sont pas consommés immédiatement. Il suffit de les conserver au congélateur après les avoir tranchés. La précaution nous y encourage. Tout nutritionniste abondera dans ce sens.

Il n'existe pas de test de toxicité à long terme, cumulative et croisée, pour les additifs comptant pour une bonne part des trop nombreux ingrédients qui se retrouvent dans certaines marques de pain. Mais personne ne nous oblige à jouer les cobayes pour effectuer ces tests. Il est préférable de choisir les pains dont la liste d'ingrédients est compréhensible.

Les poissons et les oméga-3

La population en général ne consomme pas assez de poisson pour profiter des effets bénéfiques procurés par les bons gras oméga-3 qu'ils contiennent. Les Québécois mangent en moyenne à peine 15 g de poisson par jour, soit l'équivalent d'un repas de poisson aux deux semaines (200 g), l'une des consommations les plus faibles de par le monde.

Or, les acides gras oméga-3 contenus dans le poisson semblent présenter la même protection contre les maladies cardiaques que les médicaments pour réduire le cholestérol, selon la revue de la littérature scientifique effectuée par *Consumer Reports*, en juillet 2003. Les femmes ménopausées et les hommes de plus de quarante-cinq ans forment le groupe qui a le plus à gagner de la consommation de ces gras, aux dires mêmes de l'American Heart Association.

Plus encore, une étude américaine (Morris, 2003) a relevé que la consommation de poisson une ou deux fois par semaine était reliée à une importante diminution (60 %) de l'apparition de la maladie d'Alzheimer. La consommation d'oméga-3 aiderait par ailleurs à prévenir ou à diminuer asthme et arthrite.

Enfin, le psychiatre français David Servan-Schreiber explique (*Guérir*, *op. cit.*) que notre consommation élevée de viandes d'élevage riches en oméga-6 vient s'ajouter à notre faible consommation de poissons riches en oméga-3. Notre apport alimentaire en oméga-6 est ainsi de 10 à 20 fois plus élevé que notre apport en oméga-3. Or, un équilibre entre oméga 6 et 3 est préférable pour la santé.

D'après la recherche, c'est l'alimentation du bétail qui a le plus d'impact sur la qualité des gras de ses viandes. Notre consommation supérieure d'oméga-6 provient en fait de pratiques d'élevage qui ont recours aux grains plutôt qu'au fourrage pour l'alimentation des bêtes. Par exemple, les œufs de poules domestiques élevées en liberté ont un ratio idéal de 1 pour 1 entre oméga-6 et oméga-3, alors que les œufs de poules alimentées aux grains ont un ratio indésirable de 20 pour 1.

Pareil déséquilibre n'est pas sans effets significatifs sur notre santé. C'est spécifiquement l'apport supérieur en oméga-6 dans notre alimentation qui est associé aux troubles chroniques les plus fréquents, qui ont une composante inflammatoire – arthrite, maladie d'Alzheimer, troubles cardio-vasculaires. Servan-Schreiber a de plus souligné l'impact décisif, attesté par la recherche récente, que peut avoir le déficit en oméga-3 sur les troubles de l'humeur – anxiété, dépression, bipolarité.

Les œufs, le poulet, le jambon, le steak et le poisson sont aujourd'hui devenus des produits de synthèse créés par les pratiques d'élevage. Les effets ne peuvent être différents pour l'humain, dont l'alimentation, au sommet de la chaîne alimentaire, est affectée par ces produits de synthèse. C'est le génie chimique qui gère l'évolution des pratiques d'élevage en dressant le bilan de ses constituants et de leurs impacts. Nous ne mangeons pas directement des molécules chimiques aux noms ésotériques, mais nous mangeons bel et bien une majorité d'aliments transformés dans leur nature même par le génie chimique.

La pollution chimique des poissons s'ajoute à ces déséquilibres

On a vu s'accumuler dernièrement les avis et controverses sur la contamination plus ou moins élevée de diverses espèces. Comment se rappeler qui ne doit pas manger tel ou tel poisson à cause de son taux de mercure, révélé par la dernière étude ayant fait les manchettes, le mercure étant toxique et nocif entre autres pour les systèmes nerveux et reproducteur ? Et comment manger en famille un poisson malsain pour Laurence (enceinte) et douteux pour les ados, carrément à risque pour Sébastien, quatre ans, mais présumé désirable pour les artères d'Huguette, cinquante-deux ans ?

Pour s'y retrouver, il faut se rappeler que les poissons les plus gros tels que les requins, espadons et maquereaux sont les plus toxiques parce que plus âgés et plus haut dans la chaîne alimentaire. Le thon frais est généralement plus âgé et plus gros que le thon en conserve, donc plus contaminé. Le thon rouge à sushi pareillement. C'est d'ailleurs l'un des poissons les plus contaminés, avis aux amateurs...

Fait encourageant, le corps élimine en un an le mercure qu'il a ingéré, diminuant ainsi ses effets nocifs pour les systèmes nerveux et reproducteur. Une liste des espèces les moins contaminées est reproduite plus loin.

D'aucuns affirment qu'il est plus bénéfique pour le cœur que nocif pour le système nerveux, chez les hommes de quarante à soixante ans, de consommer du poisson sans trop de retenue. Ce genre de raisonnement repose sur un faux dilemme : nous ne sommes pas forcés de choisir entre notre cœur et notre système nerveux. Il existe des poissons bénéfiques pour les deux.

Enlever la peau et permettre au gras de s'écouler sont des mesures qui diminuent notre ingestion des gras, dans lesquels se logent les polluants. Mais diminuer l'ingestion des gras diminue aussi l'apport des oméga-3 qu'ils contiennent.

Il faut aussi remarquer que l'appellation « Poisson frais » ne distingue pas le poisson de culture du poisson sauvage ; elle inclut les deux.

La pollution au mercure

Les centrales thermiques au charbon pour la production d'électricité constituent la principale source (70 %) de pollution au mercure aux États-Unis et au Canada. Elle affecte, entre autres, les mammifères marins et plus particulièrement les bélugas.

En 2003, les États-Unis se sont opposés, aux Nations Unies, à tout objectif de réduction des émissions de mercure issues des centrales thermiques (les poissons n'avaient pas le droit de vote). Par un subtil aménagement réglementaire, les centrales américaines ont aussi gagné un délai de quinze ans pour l'élimination de leurs émissions, qui se rendent jusqu'à Montréal. Le Canada fait mieux, s'étant engagé à l'automne 2004 à réduire ses émissions de mercure de 60 à 90 %, et l'Ontario parle de fermer ses centrales émettrices. Les décisions des dirigeants canadiens attestent, contrairement à celles des Américains, du pouvoir significatif dont disposent déjà nos gouvernements pour nous protéger.

Intéressant...

Le pouvoir éolien est désormais bel et bien une solution propre et économique pouvant répondre aux besoins en électricité de l'ensemble des États-Unis.

L'éminent écologiste Lester Brown, fondateur du WorldWatch Institute et directeur du Earth Policy Institute, souligne que le département de l'Énergie des États-Unis avait établi en 1991 un premier inventaire du potentiel éolien pour le pays entier.

Cet inventaire reposait sur des technologies dont l'efficacité a, depuis, triplé. Or, dès 1991, il est apparu que trois États – le Texas, le Dakota du Nord et le Kansas – pouvaient à eux seuls combler les besoins en électricité du pays tout entier. De plus, les coûts du kilowattheure éolien ont déjà baissé à 4 cents US en 2004, sur les meilleurs sites, et les experts européens prévoient qu'ils pourraient même descendre jusqu'à 2 cents US d'ici une quinzaine d'années.

Plus près de nous, selon les chercheurs Benoît et Hu, des Services météorologiques canadiens, les immenses territoires du Grand Nord québécois auraient un potentiel équivalant à plus du double de la puissance présente du réseau hydroélectrique québécois. Les chercheurs ont montré qu'Hydro-Québec sous-estime ce potentiel parce qu'elle utilise un modèle moins adéquat que le modèle WEST utilisé par les leaders de l'industrie européenne.

Le président d'Hydro-Québec se disait agréablement surpris, au début de 2005, du coût de revient du kilowattheure éolien, qui se révélait 28 % inférieur à ce qu'il prévoyait.

À ce prix, le pouvoir éolien devient un rival crédible pour les centrales thermiques au gaz et au charbon. Mais le charbon ne pourrait-il être rendu plus sain ?

Intéressant... (suite)

Les États-Unis ont créé en 2002 un fonds de recherche sur le charbon doté d'une quinzaine de milliards de dollars sur quinze ans. L'objectif est entre autres de réduire de 95 % les émissions de mercure et de cinq fois les émissions de particules produites par les centrales. La Canadian Clean Power Coalition, qui regroupe les producteurs canadiens, a elle-même mis en marche un projet de centrale plus propre grâce au procédé de gazéification du charbon. Un prototype serait construit en 2008 et la production démarrerait en 2012.

Aux États-Unis, le charbon fournissait en 2004 50 % de l'électricité, mais la plupart des nouvelles centrales électriques utilisent le gaz à cause de la pollution beaucoup plus élevée des centrales au charbon. Sur le continent, le charbon produit environ 44 % de l'électricité.

Les centrales thermiques au charbon sont la principale source d'émissions atmosphériques nocives en Amérique du Nord, concluait le rapport d'une commission de l'ALENA au début de 2005.

Tant que le charbon ne sera pas plus propre, les impératifs de santé publique interdisent de céder aux pressions qui se font de plus en plus fortes au Canada pour ouvrir et rouvrir des centrales au charbon en raison de la hausse des prix du gaz naturel et du pétrole. Il appartient aussi aux pays plus avancés de se mobiliser pour développer les technologies qui éviteront à des pays en forte expansion comme l'Inde et la Chine de s'asphyxier complètement avec le charbon qu'ils importent à pleine porte.

Pour la petite histoire, rappelons que l'Environmental Working Group (EWG) révélait le 28 février 2002 avoir découvert dans les documents internes du gouvernement que, aux États-Unis, c'est en raison des pressions de l'industrie du poisson que la Food and Drug Administration (FDA) ne publicise pas les études établissant les risques pour le fœtus de l'exposition au mercure transmis par le lait de la mère qui a consommé du thon, un poisson souvent des plus contaminés au mercure.

Même en présence d'études établissant qu'environ 60 000 enfants naissent chaque année avec le risque d'effets neurologiques causés par le mercure, la FDA cède le pas aux pressions de l'industrie – ici du poisson –, qui domine le financement des caisses électorales. Selon le EWG, il y a plus d'une trentaine d'années que la FDA s'incline ainsi systématiquement.

Les problèmes du saumon

On sait maintenant qu'en plus de constituer une gâterie fort populaire lorsque fumé, le saumon se distingue par son contenu particulièrement élevé en gras bénéfiques oméga-3.

Or, la presque totalité du saumon offert sur le marché est un poisson de culture qui pose divers problèmes.

La nature carnivore d'une espèce comme le saumon est l'un de ces problèmes.

La Fondation David-Suzuki ne s'oppose ni à l'aquaculture en général, ni à la culture du saumon en particulier. Cela dit, elle attire notre attention sur le fait que la culture d'espèces carnivores comme le saumon ne fait rien pour soulager la pression exercée sur les stocks de poissons sauvages par la demande mondiale. La culture de 1 kg de saumon requiert de 2 à 5 kg de poissons sauvages tels que les harengs, capelans, sardines et anchois. Conséquemment, 12 % des prises de poissons dans le monde finissent en moulée pour les piscicultures, et ce volume s'accroît continuellement.

Le professeur Daniel Pauly, de la Colombie-Britannique, soutient que l'aquaculture de poissons carnivores ne peut être considérée comme une pratique durable parce qu'elle cause également d'importants problèmes de pollution (maladies, excréments, nourriture non consommée). À l'inverse, il signale que l'aquaculture d'espèces herbivores – moules, huîtres, tilapias, carpes – peut nourrir des populations de façon durable et rentable. Des pratiques saines de culture doivent donc être utilisées.

Phénomène intrigant, une alimentation végétarienne donnée au saumon fait disparaître de sa chair les fameux oméga-3 tant recherchés, de même qu'une partie de sa saveur.

Que conclure de l'impact de la culture d'une espèce carnivore comme le saumon ? Étant donné l'urgence que pose le tarissement des ressources marines, l'organisation new-yorkaise Audubon Society et le Monterey Bay Aquarium de Californie jugent nécessaire de ne plus consommer de saumon, sauf le saumon sauvage de l'Alaska.

Les pratiques d'élevage pour le saumon soulèvent elles-mêmes des questions.

Le magazine *Natural Health* de mai 2003 soulignait que certaines entreprises d'aquaculture, comme Atlantic Salmon of Maine, se distinguent par l'adoption de bonnes pratiques. Elles évitent en effet l'utilisation d'antibiotiques et ne donnent qu'une alimentation exempte de contaminants.

Même si les Japonais se sont entichés du thon rouge – répétons-le, l'une des espèces les plus contaminées au mercure –, ils s'inquiètent néanmoins des pratiques de culture malsaines au point d'explorer l'élevage bio. D'autres pays plus pauvres, comme le Vietnam et l'Indonésie, ont des pratiques de culture hautement polluantes semblables à celles que l'on reproche aux porcheries. Mais il est possible de vérifier auprès de votre marchand l'origine de votre poisson.

Le saumon n'est pas cultivé en bassins fermés, qui permettent entre autres de contrer les effets de la dissémination des déchets, à l'inverse des espèces non carnivores, qui sont cultivées dans des bassins à l'intérieur des terres. Il n'est absolument pas justifié que l'industrie du saumon contamine ainsi les eaux côtières.

Les Nations Unies affirment que l'introduction d'espèces étrangères dans un habitat est la pratique qui pose la menace la plus sévère à la biodiversité. L'introduction actuelle de la culture du saumon de l'Atlantique dans l'océan Pacifique est donc contre-indiquée, même si le saumon de l'Atlantique est préféré parce qu'il requiert moins de nourriture en plus d'être moins agressif.

L'intégration généralisée de farines et de gras d'origine animale à l'alimentation des poissons comme des poulets est une autre pratique douteuse. Une telle pratique soulève toutes les réticences des défenseurs du principe de précaution. Le phénomène de la bioaccumulation fait que les polluants sont absorbés par les végétaux, qui sont absorbés par les animaux, puis par les humains, et cela en se concentrant de plus en plus. Gras et farines d'animaux contribuent ainsi directement à la contamination du poisson qui atterrit dans notre assiette.

Enfin, la couleur rose de notre saumon fumé vient de colorants artificiels, la canthaxanthine et sa jumelle, l'astaxanthine, qui sont ajoutés à la nourriture des poissons d'élevage. Le saumon sauvage développe plutôt sa couleur en mangeant de petits crustacés. Fait cocasse, les consommateurs de différentes régions n'ont pas la même idée de ce qu'est le rose saumon, les éleveurs répondent donc par un dosage varié des colorants.

Les BPC toxiques découverts dans le saumon appartiennent à cette pollution de nos aliments qui fait de plus en plus jaser.

Conformément à son habitude de financer des études sur de petites populations médiatiquement significatives, à l'été 2003, l'Environmental Working Group (EWG) publiait une analyse de 10 portions de saumon d'élevage choisies dans 10 supermarchés de cinq villes des États-Unis. Faute de moyens financiers pour produire des études statistiquement significatives, ce groupe s'ingénie à produire des études médiatiquement significatives qui récoltent et soulignent les résultats qu'ont obtenus d'autres études statistiquement significatives dispersées.

Les normes de l'Environmental Protection Agency (EPA) pour le saumon de pêche sportive sont plus proches de celles qui sont prônées par le principe de précaution au sens où elles sont 500 fois plus élevées que celles de la Food and Drug Administration, de façon à prendre en compte, par exemple, que chaque polluant nous est transmis par plusieurs sources et non seulement par le saumon. Selon la EPA, la pollution aux BPC de cette espèce justifie d'en restreindre la consommation à au plus une fois par mois. Ce que voulait justement suggérer le EWG.

Or, voilà qu'une étude de la revue *Science*, portant sur un échantillon aléatoire de 799 saumons de diverses provenances dans le monde, confirmait en janvier 2004 la présence préoccupante de BPC, mais aussi de dioxines et d'autres polluants. Le taux de contamination des saumons du Canada, du Maine et de la Norvège était moyen. Celui du Chili et de la côte ouest américaine était moindre. Celui de l'Écosse était pour sa part supérieur.

Pour faciliter leur croissance et les acheminer au consommateur bien gras, les saumons sont gavés d'huile et de farine issues de poissons sans valeur commerciale. L'analyse des polluants dans cette nourriture (dioxines, pesticides, BPC et organochlorés) a démontré qu'ils étaient souvent les mêmes que ceux qui ont été trouvés dans le saumon.

L'équipe de chercheurs du laboratoire Axis de Vancouver concluait de sa recherche publiée dans *Science* que « les gens devraient être prudents en ce qui concerne la quantité de saumons d'élevage qu'ils consomment ». Enfants et femmes enceintes devraient les éviter, les autres en réduire la consommation à au plus une fois par mois.

Mais en raison de l'absence de certitude quant au lien entre les quantités minimales de BPC constatées dans le saumon et le cancer, Santé Canada ne recommande aucune limite de consommation, préférant en cela suivre les consignes de la FDA. Voilà un autre exemple de la stratégie archaïque de gestion des risques privilégiée par Santé Canada, allant ainsi à l'encontre à la fois de la Communauté européenne, de la recherche en santé environnementale et de la EPA. Les lobbies industriels canadiens ne sont apparemment pas moins efficaces que ceux des États-Unis.

J. Salminen, le chef de l'évaluation des produits chimiques pour la santé à Santé Canada, confirmait ainsi à *Protégez-vous* (août 2004, p. 19) qu'« il faut continuer à manger du saumon d'élevage parce qu'il contient des acides gras, des oméga et d'autres produits dont on a fait la preuve hors de tout doute qu'ils sont bons pour la santé ». Du même souffle, le grand manitou des produits chimiques au Canada ajoute : « Par contre, je crois comprendre que l'industrie a déjà amorcé un virage pour changer ses méthodes d'alimentation des saumons et il est possible que les résultats de cette étude contribuent à accélérer ce virage. Ce qui est un élément positif. » Suivre le cheminement tortueux du grand manitou n'est pas aisé – il n'y a aucun danger, mais il y a un virage positif !

Une recherche de qualité révisée par les pairs (Hites, 2004) a constaté chez le saumon une contamination aux retardateurs de flamme. Les éthers diphényliques polybromés (EDPB) constituant les retardateurs de flamme sont utilisés dans la bourre des canapés, les tapis et les plastiques d'appareils électroniques. Le responsable de leur présence dans les saumons serait la diète qui leur est servie, riche en gras de poissons contaminés.

Semblables aux BPC, les EDPB sont des polluants permanents retracés en quantités significatives et croissantes chez les humains depuis les années 1970. La consommation régulière de saumon de culture contribuerait à cette croissance. Des fabricants aussi variés qu'IKEA, Toshiba et Sony ont déjà décidé d'éliminer les EDPB de leurs produits à titre préventif. Mais l'Association des producteurs de saumon d'élevage de la Colombie-Britannique affirme que les quantités minimales d'EDPB découvertes ne sont pas suffisantes pour infliger quelque dommage aux humains. L'Association ne dispose cependant d'aucune preuve pour appuyer cette affirmation. L'enjeu, pour l'association, est la santé de ses ventes, alors que l'enjeu pour la population est sa propre santé et celle de la caisse du système de santé.

Santé Canada continue de soutenir la santé de l'industrie par la voix de son directeur, J. Salminen, en disant attendre des preuves de la toxicité des quantités minimales d'EDPB pour agir, se gardant bien de proposer de présenter quelque preuve que ce soit pouvant démontrer leur innocuité. C'est un choix. C'est le choix canadien en 2004. Ce n'est pas le choix dicté par le principe de précaution.

Choix des poissons et préparation

Les poissons du marché

De nombreux groupes proposent des listes de poissons à consommer ou à éviter selon divers critères. Ici, deux listes sont proposées, l'une en fonction de la contamination au mercure et l'autre en fonction de la menace envers la conservation du patrimoine marin par les pratiques de pêche et d'élevage pour chaque espèce.

Mieux encore, un choix de poissons respectant la combinaison des deux critères est présenté. Ce dernier choix est le meilleur, selon le principe de précaution et la révolution bleue. Il est le seul qui permet de se donner un mode de vie meilleur et une économie durable. Pareille proposition présente l'avantage significatif de nous faciliter la vie en rassemblant l'ensemble des préoccupations reliées à la consommation du poisson. Elle convient aussi bien aux artères d'Huguette qu'au fœtus que porte Laurence et aux besoins de Sébastien, quatre ans et toutes ses dents.

Évidemment, cette proposition précaution évoluera et c'est précisément l'un de ses objectifs que de servir de point de repère au débat. Il faut noter que la liste des espèces de poissons en voie d'extinction ne fait que s'allonger. Le boycott des consommateurs semble être l'arme la plus efficace contre cette dégradation. Parlez-en au chef de votre restaurant préféré ou à votre poissonnier. En général, les espèces provenant de l'Atlantique sont plus à risque de surpêche, donc d'extinction, que celles qui proviennent du Pacifique.

Liste en fonction de la contamination
au mercure des poissons

Le mercure n'est que l'une des nombreuses substances pouvant contaminer le poisson, mais elle a suffisamment retenu l'attention pour que des évaluations plus poussées soient disponibles. Il importe de souligner que même si le saumon est déclaré au Canada « à consommation libre » en raison de sa faible pollution au mercure, cela n'invalide en rien la consigne de l'éviter pour les raisons évoquées plus haut.

Enfin, selon certaines analyses, le saumon en conserve (un saumon sauvage du Pacifique) s'est révélé deux fois moins gras que le saumon d'élevage frais, tout en affichant un taux équivalent d'oméga-3.

Les consignes selon le taux de contamination au mercure des poissons, d'après la Purdue University, Indiana, 2003

Éviter la consommation de ces poissons à cause d'une contamination au mercure élevée : espadon, requin, maquereau, bonite (peu fréquente au pays et différente du maquereau commun), tile.

Restreindre la consommation de l'un ou l'autre de ces poissons à au plus une fois par mois, à cause d'une contamination au mercure modérée : thon frais ou congelé, vivaneau, goberge, flétan, homard, truite sauvage, mérou, bar.

Restreindre la consommation de l'un ou l'autre de ces poissons à un repas par semaine, à cause d'une contamination au mercure faible : thon en conserve, crabe, morue, aiglefin, hareng et sardines.

Consommer sans restriction les poissons suivants puisque leur contamination au mercure est très faible : huîtres, crevettes, silure (poisson chat) d'élevage, truite d'élevage, sole, perchaude, tilapia, palourdes, pétoncles. (Malgré sa faible teneur en mercure, le saumon ne peut être retenu parce qu'il contient d'autres polluants décrits plus haut.)

Note : D'autres sources d'information placent le mahi-mahi parmi les poissons à consommation restreinte.

Liste selon l'impact néfaste des pratiques de pêche et de culture

Prendre en compte les effets des pratiques de pêche et de culture des espèces de poissons que nous consommons a un impact majeur sur notre mode de vie, que nous souhaitons durable. Choisir certaines espèces contribue directement au tarissement des ressources marines et à la pollution des eaux.

Les consignes pour éviter de contribuer au tarissement des espèces de poisson actuellement en danger de disparition, selon les consignes données par l'Audubon Society et le Monterey Bay Aquarium (Macleans, novembre 2003).

Éviter le saumon sauvage et de culture, tant de l'Atlantique que du Pacifique (seul le saumon sauvage de l'Alaska est à recommander), la sole de l'Atlantique (restreindre celle du Pacifique), l'aiglefin, la morue de l'Atlantique (consommer librement celle du Pacifique), les crevettes, les pétoncles sauvages.

Restreindre la truite arc-en-ciel d'élevage, le thon blanc en conserve (et consommer librement le thon pâle).

Consommer librement le tilapia d'élevage en eau vive, les palourdes et moules d'élevage, le silure ou barbue de rivière d'élevage (*catfish,* en anglais), le thon pâle en conserve et le saumon sauvage de l'Alaska.

Liste des poissons protégeant la santé et les ressources marines

Voici la liste la plus conforme au principe de précaution, prévenant la contamination au mercure aussi bien que la menace posée aux ressources marines par les pratiques de pêche et d'élevage néfastes.

Le croisement des consignes permet d'encourager la consommation sans restriction des espèces suivantes, issues de l'aquaculture : le tilapia, les palourdes, les moules et le silure. Le tilapia affiche un fort quotient de sympathie dans la population qui y goûte. Il convient à merveille à la confection de potages parce que sa chair se tient bien. Il peut aisément se substituer à la sole et à l'aiglefin, aux prises avec des problèmes de surpêche.

MOULE

Largement cultivée.
Cuisinée de multiples façons savoureuses, selon les pays.

PALOURDE (MYE)

Coquillage comestible très recherché.
La palourde (*clam*) est souvent servie en chaudrée en Acadie et en Nouvelle-Angleterre.

TILAPIA

Déjà populaire aux États-Unis, le tilapia est généralement apprécié et très abordable.

SILURE

Chair réputée excellente et pratiquement sans arêtes.

Aussi connu sous les noms de barbue de rivière, barbotte et poisson-chat (*catfish*).

Les similis (crabes, pétoncles, crevettes)

Simili-crabe, simili-pétoncle et simili-crevette sont faits de poisson haché – surtout de la goberge, parfois du merlan – lavé et mélangé à divers ingrédients comme la fécule, auxquels s'ajoutent des agents de conservation, des colorants et des arômes artificiels.

La goberge est suffisamment contaminée au mercure pour justifier une restriction de sa consommation à une fois par mois, selon les chercheurs de l'Université Purdue, en Indiana. La présence des agents de conservation et des colorants ajoute au risque posé par la consommation de ce poisson.

Pour développer des similis plus sains, peut-être serait-il possible de substituer le tilapia ou le silure de culture à la goberge et de limiter les additifs. Entre-temps, le principe de précaution conseille donc de limiter, voire d'éviter la consommation des similis fruits de mer.

Le poisson de pêche sportive

Le *Guide de consommation du poisson de pêche sportive en eau douce* (www.menv.gouv.qc.ca/eau/guide) conseille de ne pas prendre plus de deux repas par mois d'achigan, de brochet, de doré, de maskinongé ou de touladi (truite grise).

Capsules d'oméga-3 (poisson)

Si vous désirez éviter les polluants chimiques présents dans la chair du poisson, ou si vous n'aimez pas son goût, les suppléments offerts en capsules constituent une autre source confirmée d'oméga-3 et de leurs acides gras AEP et

ADH (AEP est le symbole français pour EPA, et ADH celui pour DHA).

Tel qu'indiqué en début de section, l'alimentation dans les pays occidentaux industrialisés contient de 10 à 20 fois plus d'oméga-6 que d'oméga-3, alors qu'ils devraient être au moins équivalents. La suprématie des oméga-6 est associée à la prolifération des maladies chroniques avec une composante inflammatoire – arthrite, maladie d'Alzheimer, troubles cardio-vasculaires. Les suppléments en capsules devront donc contenir aussi peu d'oméga-6 que possible ou en être dépourvus pour compenser les taux actuels relevés.

Il ressort des études faites à ce jour qu'il importe aussi de vérifier la proportion de chacun des deux acides gras, AEP et ADH, que contiennent les oméga-3 en capsules.

La proportion idéale d'AEP et d'ADH

L'ingestion d'oméga-3 s'est récemment révélée avoir un impact significatif sur les troubles de l'humeur (dépression, anxiété et bipolarité). Mais les études indiquent que ce sont plus spécifiquement les AEP et non les ADH qui ont un effet positif (Nemets *et al.*, 2002 ; Peet et Horrobin, 2002). Une étude testant des ADH purs n'a relevé aucune différence avec l'utilisation d'un placebo.

Une étude indique même que les ADH pourraient empêcher l'assimilation et l'utilisation des AEP (Horrobin, 2002). Or, l'organisme transformerait les AEP en ADH au besoin, mais pas l'inverse.

Pour les troubles de l'humeur, les suppléments contenant plus d'AEP sont donc nécessaires. Pour le cœur et la mémoire, l'organisme serait capable de trouver les ADH qui lui sont nécessaires en convertissant au besoin les AEP présents en plus forte concentration dans le supplément.

Il est souhaitable de rechercher les capsules contenant une proportion élevée d'AEP et faible d'ADH, les proportions variant significativement d'une marque à l'autre. Le rapport 1 ADH pour 7 AEP est celui pour lequel les études ont enregistré un effet positif sur les troubles de l'humeur.

Il est aussi préférable de rechercher les capsules avec une concentration en oméga-3 approchant de 90 %. De nombreuses marques n'en contiennent que 30 %. Préférez les capsules contenant un apport combiné d'AEP et d'ADH d'environ 500 mg, pour limiter à deux ou trois le nombre de capsules à absorber quotidiennement.

Quelle quantité d'oméga-3 (AEP et ADH) est requise ?

Le magazine *Consumer Reports* de juillet 2003 (p. 30-32) suggère environ 2 g d'oméga-3 par semaine.

Pour les gens affectés d'une maladie cardiaque, la recommandation du *Consumer Reports* et de l'American Heart Association s'élève à 1 g d'oméga-3 par jour, avec suivi du médecin traitant.

La recherche effectuée par le psychiatre français David Servan-Schreiber (*Guérir, op. cit.*) l'amène à recommander la prise d'un peu plus de 1 g par jour (apport combiné AEP et ADH), aussi bien pour les troubles de l'humeur que pour les maladies cardiaques.

Pour obtenir un effet antidépresseur, certaines études élevaient la dose à 2, voire à 3 g par jour. Les doses allant de 3 à 8 g sont considérées par les autorités comme sans danger, sauf chez les personnes prédisposées aux ecchymoses ou qui prennent des anticoagulants, de même que celles qui sont affectées de troubles du pancréas et les femmes enceintes – il faut alors consulter son médecin. Aucun problème de compatibilité avec les antidépresseurs, les neuroleptiques ou le lithium n'a été décelé.

D'après ce qu'indiquent les études complétées à ce jour, le supplément permet au corps de pallier son manque d'oméga-3 en-deçà de trois mois, les effets se faisant souvent sentir dans les premières semaines.

La marque 03mega+Joy est un choix intéressant. Elle coûte 36 dollars pour 120 capsules contenant chacune 25 mg d'ADH et 500 mg d'AEP. Un tel ratio restreint la prise à deux capsules par jour. Le 03mega+Joy est extrait de sardines et d'anchois, de petits poissons situés au début de la chaîne alimentaire, donc peu contaminés. La plupart des autres marques utilisent aussi le maquereau, l'un des poissons les plus contaminés selon la liste donnée plus haut. Le supplément se prend une ou deux fois par jour, au début des repas.

Congeler les capsules peut aider à diminuer le phénomène de hoquet avec arrière-goût de poisson. Prendre les capsules avec de la nourriture peut aussi aider à diminuer les ballonnements d'estomac et retours gastriques amers.

Le *Consumer Reports* de juillet 2003 (p. 30-32) confirme que, conservées à l'abri des rayons directs du soleil, les capsules se gardent au moins un an après leur date de fabrication. Quand elles contiennent de la vitamine E, les capsules peuvent être conservées jusqu'à deux ans.

Bonne nouvelle ! Les tests effectués par *Consumer Reports* (*op. cit.*) sur 16 marques de capsules ont montré que toutes comptaient bien les quantités d'oméga-3 affichées – ce qui est par contre souvent inférieur à la dose recherchée. Aucune des marques n'était dégradée ni ne présentait de traces significatives de pollution au mercure, aux BPC et aux dioxines.

Plus encore, le réseau canadien de télévision CTV a défrayé, en collaboration avec le *Globe and Mail,* au début de 2004, une évaluation des polluants chimiques (BPC) présents dans les capsules, au Canada, en comparaison avec ceux découverts dans le saumon par des évaluations récentes.

Les résultats sont encourageants. Les BPC contenus dans une seule portion de saumon d'élevage équivalent à ceux trouvés dans un total de 300 capsules. Les BPC en quantité moindre d'un poisson sauvage équivalent à ceux contenus dans seulement 20 capsules d'huile.

La pollution moindre dans les capsules viendrait du fait que les poissons utilisés pour obtenir l'huile sont plus petits, donc moins contaminés en raison du phénomène de bioaccumulation. Le procédé de purification pour élever la concentration en oméga-3 contribuerait aussi à la décontamination.

Les suppléments en capsules présentent l'avantage de remédier efficacement à nos déséquilibres alimentaires parfois difficiles à rétablir. Ils constituent une solution économique et sécuritaire aux besoins en oméga-3.

Éric Dewailly, chercheur à l'Université Laval, souligne cependant que plusieurs des études sur les bienfaits des oméga-3 ont porté sur des personnes consommant du poisson, et non des capsules. Le poisson contient d'autres nutriments, comme la vitamine D et le sélénium.

La collecte de l'huile des capsules soulève par ailleurs des enjeux qui ne sont pas encore bien clarifiés. D'autres contaminants chimiques, outre les BPC et le mercure évalués dans les études, sont-ils présents ? La collecte contribue-t-elle à la consolidation d'une industrie ou de producteurs aux pratiques environnementales discutables ? Ces enjeux sont vitaux pour la mise en œuvre du principe de précaution dans l'alimentation : notre santé dans le cadre d'un mode de vie durable en dépend.

Oméga-3 d'origine végétale

La graine de lin et son huile – seule source végétale significative d'oméga-3 – ne semblent pas fournir les acides gras essentiels oméga-3 spécifiques qui sont recherchés pour la santé, soit les AEP et les ADH.

Le lin fournit en fait l'oméga-3 alphalinoléique, que le corps transforme en AEP et ADH, mais il faut une quantité considérable de lin pour atteindre les quantités d'AEP et ADH reconnues pour produire des effets significatifs sur l'humeur en cas d'anxiété, de dépression ou de bipolarité.

De l'avis de David Servan-Schreiber (*Guérir*, *op. cit.*), il faudrait de 15 à 30 ml ou une à deux cuillères à soupe d'huile de lin par jour, ou bien quatre à six cuillères à soupe de graines de lin entières broyées pour obtenir la quantité d'oméga-3 AEP souhaitable en dose de maintien. Tout un défi pour vos intestins, qui risquent de vous placer en état d'urgence un peu trop souvent.

Malgré tout, des études tendent à confirmer les effets du lin contre les maladies cardiaques. Et les nutritionnistes encouragent la consommation de noix et de graines diverses.

Ainsi, 10 ml (ou deux cuillères à thé) de graines de lin moulues (au moulin à café) sont recommandées comme apport quotidien. Elles peuvent être intégrées à un yogourt, un potage ou une salade, qui en voilent aisément le goût, s'il ne vous est pas agréable.

La graine doit être moulue au moulin à café au fil de vos besoins, idéalement, ou placée au congélateur, dans un contenant hermétique, si elle est moulue à l'avance. Non moulue, la graine n'est tout simplement pas absorbée.

La société américaine Martek Biosciences Corporation utilise la microalgue *Crypthecodinium cohnii* pour produire une huile à 40 % d'oméga-3 ADH.

Comme il a été expliqué à la rubrique précédente, les ADH peuvent nuire à l'absorption des AEP, en plus de ne présenter aucun bénéfice pour réguler les troubles de l'humeur. Le supplément de Martek ne peut donc être recommandé sans restrictions, bien qu'il puisse convenir à certaines personnes.

Martek commercialise déjà depuis peu un supplément similaire (Formulaid®) à l'huile d'oméga-3 ADH additionnée d'oméga-3 ARA, un supplément intégré par de grands fournisseurs au lait maternisé. Cette formule contribuerait au développement de la vision et du cerveau.

L'huile de microalgues Martek présente l'avantage significatif de provenir d'une source végétale, contournant tous les enjeux liés aux sources animales. La microalgue étant cultivée en laboratoire, elle évite ainsi la bioaccumulation des polluants qui survient au fil de la chaîne alimentaire.

Reste à espérer que des groupes tels que Martek offriront bientôt un supplément plus riche en oméga-3 AEP tirés des mêmes microalgues.

Les viandes

Certaines consignes de précaution peuvent contribuer significativement à limiter la contamination de nos corps par les viandes d'élevage industriel et les procédés polluants de cette industrie. On verra ici que plusieurs raisons militent en faveur des viandes biologiques et des protéines végétales.

Il est souvent possible de se procurer des aliments bio à meilleur prix en les achetant sur place, directement du producteur, ou en passant par l'ingénieux programme d'agriculture soutenue par la communauté du groupe Équiterre.

La consommation de viande rouge au Canada a baissé de 25 % entre 1975 et 2003, pour atteindre 40 kg par personne annuellement. Durant la même période, la consommation de volaille grimpait à plus de 65 kg. Une bonne nouvelle, puisqu'une diète riche en viande rouge élève de pas moins de 50 % le risque de certains cancers colorectaux (*JAMA*, 2005). La consommation de poissons et de fruits de mer s'élève pour sa part aujourd'hui à 9 kg par personne annuellement.

Des pratiques d'élevage douteuses

Il a été expliqué à la rubrique sur le poisson que notre consommation élevée de viandes d'élevage riches en oméga-6 se conjugue à notre faible consommation d'oméga-3, de telle sorte que notre taux d'oméga-6 est de 10 à 20 fois plus élevé que notre taux d'oméga-3. L'apport en oméga 3 et 6 devrait à tout le moins être égal.

C'est l'alimentation des animaux de boucherie qui a le plus d'impact sur la qualité de leurs gras. À base de grains plutôt que de verdure, cette alimentation limite la production d'oméga-3 et hausse celle des oméga-6. L'apport surélevé en oméga-6 est relié chez l'humain aux maladies chroniques les plus fréquentes ayant une composante inflammatoire – arthrite, maladies d'Alzheimer et cardio-vasculaires. On l'a vu, la recherche récente a aussi relié ce déséquilibre des oméga à la hausse des troubles de l'humeur. Mais d'autres pratiques d'élevage soulèvent également des questions.

Gras, polluants et pesticides

En tout, 55 % des pesticides qui se retrouvent dans notre assiette viennent de la viande, 23 % viennent des produits laitiers et 5 % des fruits et légumes. Et ils se logent surtout dans le gras.

L'Agence internationale de recherche sur le cancer (IARC) soutient que la viande, le lait, les œufs, le poisson et les produits d'origine animale contiennent des dioxines, substances reconnues comme cancérogènes. Les dioxines sont des sous-produits de l'incinération, de la production des PVC et des procédés de blanchiment. Elles se retrouvent principalement dans les gras animaux que nous ingérons après avoir été diffusées dans l'environnement.

Voilà qui milite en faveur de la consommation de viandes plus maigres et de modes de cuisson qui permettent au gras de s'écouler. En ce sens, la cuisson à la poêle doit être évitée pour préférer la cuisson au gril. Les poêles à rainures en forme de gril représentent un bon compromis.

L'élevage intensif et son corollaire, l'agriculture intensive requise pour alimenter les animaux, impliquent une utilisation massive d'engrais, dont 80 % aboutissent dans les océans sous forme d'azote. Selon le Programme des Nations Unies pour l'environnement, la pollution des océans par les engrais est directement responsable de la multiplication d'immenses zones marines tout à fait stériles. On compte actuellement 150 de ces zones, dont le nombre se multiplie par deux chaque décennie, et on en retrouve aussi bien dans le golfe du Mexique que dans la mer Noire.

Au Québec même, le fumier produit par l'élevage du porc génère environ les deux tiers de la quantité d'azote que les terres peuvent absorber. En incluant l'azote des engrais de synthèse, il s'épand déjà plus d'azote (138 %) que les terres ne peuvent en absorber. Le reste contamine nos eaux souterraines et de surface. Un non-sens.

Le gras contenu dans la viande même, le persillage, est souvent ce qui la rend délicieusement tendre. Son absence dans la viande maigre peut donc la rendre moins tendre, raison pour laquelle certains traiteurs lui injectent de la saumure faite de phosphate de sodium, d'eau et de sel, créant un hybride à la fois maigre et tendre. Ce genre de manipulations illustre à quel point la majorité des aliments d'aujourd'hui, viandes incluses, sont devenus de véritables produits de synthèse au gré de méthodes de culture, d'élevage et de préparation complexes. Complexes mais aussi trop souvent douteuses, selon les critères du principe de précaution.

Les abats sont plus susceptibles de contenir les polluants et pesticides, puisqu'ils servent de filtre à l'organisme de l'animal. Mais les autorités sanitaires prétendent que selon leurs inspections régulières, il n'y a aucun danger. Pareille affirmation est à tout le moins prétentieuse, puisque les informations sur un grand nombre de substances chimiques ne sont pas encore disponibles. À l'heure actuelle, la précaution incite tout simplement à limiter la consommation d'abats.

Le produit de grande consommation qu'est la viande hachée pose le problème du gras, dans lequel se logent les pesticides et polluants. La loi établit qu'il ne peut y avoir plus de 30 % de matières grasses (m.g.) dans la version ordinaire, 23 % dans la mi-maigre, 17 % dans la maigre et 10 % dans la extra-maigre.

Dans la réalité, la cuisson atténue le pourcentage de gras dans la viande hachée au point que les versions maigre et mi-maigre deviennent semblables. Inutile donc de débourser plus, ici, question santé, comme le souligne la nutritionniste de *Protégez-vous* (*Bien acheter pour mieux manger*, octobre 2004, p. 37). Par contre, la viande extra-maigre se distingue. Elle contient de 30 à 50 % moins de gras, et son volume ne diminue pas lors de la cuisson.

Attention ! Le gras des aliments qui s'écoule sur les éléments chauffants du barbecue produit aussi des cancérogènes potentiels (les HAP) qui remontent se fixer sur l'aliment avec la fumée. Choisir des aliments moins gras, les précuire au micro-ondes et éviter la surchauffe et la surcuisson sont des mesures de précaution avisées, lorsque le principe du plaisir nous interdit de mettre une croix sur le barbecue. Mieux encore, suivez les conseils de la diététiste de *Protégez-vous* (*Bien acheter pour mieux manger*, *op. cit.*, p. 52) ; ce guide pratique de l'alimentation est une véritable mine de renseignements sur l'ensemble des enjeux posés par le sujet.

Les conseils de la diététiste

Choisir des coupes de viande et de volaille maigres qui ne laissent tomber que peu ou pas de gras sur la source de chaleur.

Disposer les briquettes en cercle dans le barbecue et cuire les aliments au centre.

Choisir des coupes de viande ou de volaille qui cuisent rapidement.

Opter pour des poissons et des aliments d'origine végétale (végéburgers), qui, grâce à leur composition différente, génèrent beaucoup moins ou pas du tout d'HAP.

Faire mariner la viande et la volaille ; cette opération diminue la formation d'HAP.

Privilégier les marinades contenant peu d'huile, car elle pourrait causer la formation d'HAP.

Précuire la viande pendant deux à cinq minutes au four à micro-ondes et jeter le jus de cuisson (on réduit ainsi de 90 % la teneur en HAP).

Éviter de trop faire cuire la viande et ne pas consommer les parties calcinées de l'aliment.

L'huile d'olive supporte mieux la chaleur que le beurre, sans contenir un surcroît d'oméga-6 que l'on cherche par ailleurs à éviter. En ajouter quelques gouttes au beurre aidera ce dernier à ne pas surchauffer.

Les aliments énergivores

Manger son sanglier braisé il y a plusieurs centaines d'années et s'offrir un steak tartare aujourd'hui produisent des impacts sur la nature qui diffèrent largement. En plus de poser des problèmes d'appauvrissement des sols et de déforestation dans les pays fournisseurs, l'élevage intensif est une pratique éminemment énergivore. Le chercheur David Pimentel, de l'Université Cornell, a eu l'idée d'évaluer l'énergie requise en carburant fossile pour produire une protéine animale. En moyenne, aux États-Unis, il faut actuellement 28 kilocalories de carburant fossile pour produire une seule kilocalorie de protéine animale destinée à la consommation humaine : un ratio de 28 pour 1.

L'animal d'élevage le plus énergivore est le bœuf, avec un ratio de 54 kilocalories dépensées pour produire 1 kilocalorie de protéines. L'agneau le suit de près avec un ratio de 50 pour 1. Le poulet à griller présente un ratio étonnamment faible de 4 pour 1, suivi par la dinde avec un ratio de 13 pour 1. Le porc, avec un ratio de 17 pour 1 et le lait avec un ratio de 14 pour 1 sont relativement éconergétiques, alors que les œufs avec 26 pour 1 le sont étonnamment moins. Au sommet éconergétique trônent les céréales, qui ne requièrent que 3,3 kilocalories de carburant fossile.

L'économie d'énergie constitue certes un argument de poids, une fois jumelée aux enjeux sur la santé et l'agriculture (production immense de grains servant à l'alimentation), pour continuer de restreindre la consommation de certaines protéines animales.

Il serait sage de tendre vers l'utilisation de la viande comme mets d'accompagnement occasionnel, voire comme source de fumets et de saveurs, plutôt que comme mets principal de notre ordinaire. Peut-être même pourrait-on s'en passer, comme le font déjà certains.

Au vu du bulletin éconergétique, les protéines végétales remportent évidemment la palme, mais que serait la vie sans le principe du plaisir, sa poésie et ses pondérations ?

L'irradiation, la médication et les hormones

L'irradiation (ou ionisation) est une méthode de conservation des aliments qui illustre le genre de procédés spontanément associés par la population aux dérapages du génie chimique.

Une somme considérable d'études n'a pu arriver à établir la certitude de son danger. Toutefois, les modifications qu'elle apporte aux aliments causent la formation de composés potentiellement douteux pour lesquels il n'existe pas d'études de toxicité à long terme. Le principe de précaution inviterait donc à la prudence en attendant que soient conduites de nouvelles études.

Parce que l'irradiation n'apporte pas d'avantages significatifs, comparée aux autres méthodes de conservation, l'industrie choisit à l'heure actuelle de faire preuve de précaution… face à la réticence de la population. Cette attitude démontre l'immense pouvoir que peut avoir le consommateur lorsqu'il exprime ses appréhensions et sa volonté de ne pas consommer certains produits.

La loi exige que tous les aliments irradiés soient identifiés par un énoncé tel que « traité par radiation », « traité par irradiation » ou « irradié » et par le symbole international identifiant les aliments irradiés, le Radura.

Au Canada, les antibiotiques continuent d'être utilisés à titre préventif, mais aussi comme stimulants à la croissance du bœuf, du porc et du poulet. Certains chercheurs continuent de craindre la possibilité que des bactéries deviennent à cause d'une telle pratique plus résistantes aux antibiotiques, de sorte que les humains ne pourraient plus se protéger adéquatement contre elles. C'est un point de vue qui rejoint le principe de précaution.

C'est nommément en évoquant ce principe de précaution que l'Union européenne a choisi d'interdire les hormones comme anabolisants, contrairement au Canada. C'est que les experts européens redoutent l'apparition d'effets toxiques sévères – comme des cancers – à la suite de l'absorption de résidus même minimaux d'hormones par les consommateurs. En revanche, et contrairement aux États-Unis, le Canada interdit la somatotrophine bovine, une hormone de croissance qui hausse la production laitière. Pour cette raison, la précaution encourage à éviter les produits laitiers américains et les aliments emballés sous des appellations de type « substances laitières », chose moins facile à faire.

Santé Canada a congédié pas plus tard qu'en 2003 des chercheurs qui s'opposaient à la commercialisation de certains médicaments vétérinaires, mais l'existence d'avis aussi divergents devrait suffire à justifier, par précaution, le report de la commercialisation. Toutefois, complice de l'industrie, Santé Canada endosse le principe du cobaye, selon lequel la population peut être exposée à des substances possiblement ou probablement nocives, quitte à les interdire vingt ans plus tard et à laisser aux systèmes de santé provinciaux la facture des soins éventuels.

Farines animales et vache folle

La variante humaine du syndrome de la vache folle, la maladie de Creutzfeldt-Jakob, est reconnue pour avoir tué 147 personnes à ce jour en Angleterre, dont 18 en sont mortes en 2003.

Se défendant bien d'être alarmiste, le chercheur James Ironside a tenu à déclarer ouvertement, dans une communication publiée par *Lancet* à l'été 2004, que ce problème est loin d'être éliminé. Le génotype du deuxième Anglais à avoir été contaminé par transfusion sanguine s'est avéré différent de celui des victimes précédentes et semblable à celui d'un groupe beaucoup plus large de la population (50 %). Ironside explique que les victimes précédentes pouvaient être plus fragiles et n'ont subi qu'une brève période d'incubation, alors que le deuxième Anglais appartiendrait à un groupe qui a été porteur plus longtemps et qui commencerait à peine à développer la maladie, mais en grand nombre. En fait, 50 % de la population serait donc susceptible de développer la maladie. C'est un risque, et non une certitude, qui justifie tout de même des politiques plus strictes et de plus amples recherches (air connu).

Par ailleurs, des chercheurs européens annonçaient à la fin de janvier 2005 avoir retracé le premier cas de maladie de la vache folle chez une chèvre. C'était la première fois que l'on découvrait la maladie chez une autre espèce animale.

La maladie de la vache folle se transmet par les matières du cerveau qui restent avec d'autres résidus, après que les carcasses des vaches sont dépouillées de leur viande. Les résidus de carcasses sont transformés en farines animales destinées à l'alimentation d'autres animaux de boucherie. Les matières du cerveau des vaches ne peuvent donc plus être transformées en aliments pour les vaches elles-mêmes, afin de limiter les risques de propagation de maladies. Elles servent à alimenter d'autres espèces d'animaux d'élevage.

Avoir retrouvé la maladie de la vache folle chez une chèvre indique que la maladie se transmet aussi à d'autres espèces, contrairement à ce que l'on croyait. Il s'agit donc d'un argument massue pour justifier l'élimination des substances cervicales des farines animales.

Enfin, une recherche récente (Aguzzi, 2005) révélait que les protéines responsables de la maladie, au lieu d'être localisées uniquement dans le cerveau et le système nerveux, peuvent voyager vers d'autres organes des animaux infectés s'ils sont déjà affectés de maladies inflammatoires. Les études antérieures justifiant les politiques actuelles n'avaient retracé la présence des protéines que dans le cerveau et le système nerveux parce qu'elles utilisaient des animaux en santé.

Ces deux découvertes récentes remettent radicalement en cause les pratiques d'élevage recourant aux farines animales constituées de résidus des carcasses d'animaux de boucherie. Qu'il ait encore une fois fallu attendre qu'une recherche plus exhaustive sur l'utilisation des farines animales précise les risques qui lui sont reliés témoigne substantiellement en faveur de l'intégration de l'esprit de précaution dans la gestion des risques pour l'ensemble de l'industrie.

On comprend mieux les dirigeants de la marque Bovril d'avoir éliminé toute trace de bœuf dans son célèbre bouillon de bœuf (!).

Intéressant

Bovril annonçait à l'automne 2004 qu'elle se convertit au végétarisme ! Bovril aurait annoncé qu'elle devenait bio, il y aurait vraiment eu de quoi s'étonner et applaudir. Mais une marque célèbre de par le monde pour son bouillon de bœuf qui devient végétarienne, cela mérite tout de même que l'on fasse une pause !

Ce sont les restrictions liées aux problèmes de la vache folle qui ont motivé le changement de cap, de même que le vent favorable aux produits végétariens.

Bovril s'inscrit donc – et pour ce seul motif, puisque aucun changement n'est annoncé quant aux additifs contenus dans le produit – à l'avant-garde de cette révolution majeure que va traverser l'ensemble du secteur de l'alimentation pour prendre le train de la révolution bleue et des pratiques durables.

Le test à l'aveugle qui a appuyé la conversion de Bovril a révélé que les gens étaient plus nombreux (50 %) à préférer le mélange végétarien. Le mélange au bœuf original a été préféré par 40 % des répondants. Les autres n'y ont vu que du feu.

Le poulet

La consommation de volaille au Canada est toujours en croissance, à tel point qu'il s'en mange 65 % de plus (65 kg) par personne qu'il ne se mange de viande rouge (40 kg). Voilà une bonne raison de faire le point.

La nourriture des poulets dits de grain comme des poulets ordinaires contient 85 % de céréales, auxquelles s'ajoute une part de farines et de gras animaux qui ne peut dépasser 10 %. Ces 10 % de farines et de graisses animales sont ce qui soulève le plus de doutes quant à l'impact qu'ils peuvent avoir sur la santé des consommateurs. L'origine et la nature des résidus animaux entrant dans leur composition ne figureront jamais sur l'étiquette des volailles, sans quoi elles détourneraient le consommateur. Ces farines sont semblables aux farines protéinées qui sont réglementées pour le bœuf de boucherie mais qui peuvent servir à l'alimentation des autres animaux. Autrement dit, au Canada, il est juste de dire qu'en général les poulets mangent de la vache.

Parmi les heureuses exceptions, on compte le poulet des Rôtisseries Saint-Hubert, qui ont éliminé l'utilisation des farines animales depuis 2002. On compte aussi, en provenance de la coopérative québécoise Exceldor, un poulet « certifié » sans farines ni graisses animales – « Exceldor l'authentique ». Ce produit a été développé en réponse à un sondage où la clientèle manifestait son souhait d'une alimentation plus naturelle. La certification est assurée par un organisme reconnu par l'Agence canadienne d'inspection des aliments (ACIA). Mieux : le poulet Exceldor est refroidi à l'air selon un procédé hollandais, plutôt qu'à l'eau comme c'est généralement le cas. Renfermant de la sorte 5 à 7 % moins d'eau, il perd moins de poids à la cuisson.

Des scientifiques du gouvernement fédéral ont recommandé en mai 2003 que le Canada agisse comme certains pays européens et interdise la récupération des restes d'abattoirs pour l'alimentation des animaux. Au début de l'année 2004, l'Agence canadienne d'inspection des aliments affirmait que l'interdiction européenne ne repose pas sur des preuves scientifiques. Autrement dit, la certitude de la nocivité de ces pratiques n'étant pas établie, la seule probabilité de cette nocivité ne constitue pas un motif suffisant pour agir.

La volaille affichant la mention « Sans sous-produit animal » offre la garantie que l'animal n'a pas consommé de farines ni de gras animaux. Cette mention fait l'objet d'un contrôle par un mécanisme de certification qui en garantit la qualité. Il s'agit d'une solution de moindre mal qu'encourage le principe de précaution à qui se trouve dans l'impossibilité de s'offrir la volaille de culture biologique.

Un chercheur du National Institute of Child Health (Lasky, 2004) soutient qu'il faut porter attention à un dérivé de l'arsenic ajouté à la nourriture du poulet au Canada et aux États-Unis. Il s'agit d'une substance utilisée pour combattre les parasites et favoriser la croissance. Or, les personnes qui mangent beaucoup de poulet se trouvent ainsi à absorber 22 % de la quantité d'arsenic maximale jugée sécuritaire.

Quelques ailes de poulet ou une poitrine ne vous mèneront pas aux urgences, mais elles constituent une des sources de contamination de votre corps par l'arsenic. On retrouve également de l'arsenic dans certains autres aliments, dans l'eau et même dans la poussière issue du bois traité à l'ACC dont est fabriqué votre patio. C'est la pollution cumulative et croisée de nos corps que l'on soupçonne de représenter le plus grand risque.

Il n'y a qu'un seul moyen de s'en protéger : soumettre aux critères du principe de précaution tous nos aliments et les biens de consommation qui nous environnent. C'est un choix exigeant dans un premier temps, mais qui facilite grandement la vie pour qui a peu de temps à consacrer à la maladie.

Charcuterie (terrines, saucisses à hot-dog, jambon, préparations et autres)

Si la charcuterie artisanale sent bon le terroir, la charcuterie industrielle repose sur des mélanges qui n'ont rien à voir avec les produits d'origine. Souvent, les apparences ne sont sauvées que par l'ajout de quelques additifs supplémentaires ; la composition même des aliments, elle, n'a plus rien à voir avec des produits simples et sains.

La mention « viande séparée mécaniquement » est un exemple évocateur. On la retrouve dans la liste d'ingrédients d'aliments comme les saucisses. Elle est fabriquée en broyant des restes de viandes attachés à l'os, ce mélange est ensuite tamisé afin de retirer les morceaux d'os. En général, seuls les artisans saucissiers utilisent de la viande plutôt que cette substance, avec les prix que cela nécessite.

La plupart des saucisses à hot-dog fumées associées aux plaisirs de l'été sont faites à base de viande séparée mécaniquement. Les variétés plus grosses qui disent ne pas en contenir sont surchargées de ces gras animaux où se logent les pesticides et dioxines que nous devrions éviter. Saucisses artisanales et saucisses végétariennes constituent une bonne alternative.

La plupart des préparations de viandes en conserve – jambon, poulet, bœuf salé – ne contiennent que de la viande séparée mécaniquement, en plus d'une kyrielle d'additifs. À éviter.

La salaison consiste à laisser la viande s'imprégner de saumure pour en allonger la conservation, mais surtout pour lui conférer une couleur rose et un goût caractéristique : jambon, bacon, bœuf salé, saucissons et saucisses à hot-dog sont les mets du genre les plus familiers.

Hélène Doucet Leduc précise (*Échec à la contamination des aliments*, *op. cit.*, p. 65) qu'en plus du sel, la saumure contient des nitrites jouant le rôle d'agents de conservation et d'agents colorants. Les nitrites peuvent toutefois former des nitrosamines cancérogènes qui ne présentent que des risques négligeables, selon Doucet Leduc, « à la condition de consommer avec modération les viandes ainsi traitées ».

Du bacon au petit-déjeuner, du jambon dans les sandwichs au goûter et des hot-dogs (bœuf salé ou saucisson) en fin de journée ne peuvent constituer un exemple de modération. Et pourtant, combien de gens ont une diète similaire ?

Une étude a relié la consommation de saucisses à hot-dog plus d'une fois par semaine à une hausse des cancers du cerveau et de la leucémie chez les enfants. Les enfants nés de mères en ayant consommé pareillement plus d'une fois la semaine, durant leur grossesse, ont présenté des taux de cancer plus élevés. Les nitrites dans la saumure servant à la préparation de ce produit s'associeraient à des amines, normalement présentes dans la viande, pour former les nitrosamines décrites comme des cancérogènes probables. On ne parle pas ici d'épidémie mais de possibilités cumulatives qui s'ajoutent et se croisent avec d'autres.

Par ailleurs, même s'il existe des lois et des règlements, certaines substances ajoutées aux salaisons peuvent retenir l'eau jusqu'à lui faire constituer plus de 50 % du poids de l'aliment final – raison des écoulements de certaines pièces de jambon. Parmi les ingrédients de remplissage, il y a des gras animaux susceptibles d'élever la charge en polluants du produit.

Si jambon et bœuf fumé contiennent environ 5 % de gras, d'autres charcuteries peuvent en contenir jusqu'à 40 %. Pepperoni, salami sec et saucissons sont les plus gras et la précaution doit nous inciter à limiter leur consommation. Les charcuteries industrielles ayant en tête de liste des ingrédients la mention « Gras animal » sont à éviter pour la même raison. C'est souvent le cas des pâtés et terrines, qui contiennent également des abats cuits – les abats qui, servant de filtres à l'organisme, sont susceptibles de contenir plus de polluants.

Les plus démunis sont ceux qui consomment le plus les aliments gras comme les saucissons et sont ici une fois de plus désavantagés. Ils finissent pour cette raison même par développer de graves problèmes de santé. Les substituts végétariens à ces produits, de loin supérieurs sur le plan nutritif, sont encore hors de prix pour ce groupe.

Ce sont les politiques de santé publique qui ont ici encore une occasion de poser des gestes significatifs – baisse des taux de gras autorisés, voire substitution par des gras végétaux – qui présenteraient en outre l'avantage de désengorger le système de santé.

Les viandes et poissons fumés

Alors qu'il contribuait autrefois à la conservation des aliments préalablement salés, le fumage est aujourd'hui recherché pour sa saveur. Or, souligne Hélène Doucet Leduc (*op. cit.*, p. 65), la fumée contient des benzopyrènes cancérogènes et des études épidémiologiques ont noté l'apparition de cancers des voies digestives en nombre significatif dans les pays friands d'aliments fumés.

Les procédés modernes ont réduit les dépôts de benzopyrènes sur les aliments. La température de combustion est contrôlée par l'utilisation de sciure de bois, la distance entre foyer et aliments est augmentée et la fumée est filtrée. Les méthodes artisanales de fumage qui escamotent ces procédures le font au prix d'un accroissement des benzopyrènes sur les aliments.

L'industrie utilise quant à elle de plus en plus la fumée liquide pour des motifs environnementaux. Il s'agit d'un condensât qui serait en bonne partie dénué de benzopyrènes ; il serait donc moins toxique. Sont aussi utilisés des arômes de fumée naturels (avec la mention « saveur de fumée » sur l'emballage) ou de synthèse (avec la mention « arôme artificiel de fumée » sur l'emballage), dont la toxicité n'a pas fait l'objet d'une évaluation.

Au Canada, estime Doucet Leduc, les concentrations de benzopyrènes dans les aliments fumés seraient très faibles. Ils présentent donc peu de risques. Le principe de la précaution dicte tout de même d'en manger avec modération, selon l'expression consacrée.

Chapitre 3

AUTRES PRODUITS À SURVEILLER

Les antiadhésifs aux PFC

Les PFC (acronyme américain pour *perfluorochemical,* les substances perfluorées) présentent une multitude d'avantages : ils rendent les vêtements imperméables, protègent les tapis et les tissus contre les taches, servent de contenants pour la nourriture grasse comme les frites et la pizza, sont ajoutés aux shampooings pour aider à démêler les cheveux et empêchent l'adhérence des aliments au fond des casseroles. On en trouve aussi dans certains nettoyants à cuvette et à douche pour diminuer l'adhérence de la saleté et faciliter l'entretien. Leur utilisation est maintenant généralisée.

Ils sont commercialisés sous des marques devenues aussi familières que Scotchgard (protège-tissu), Gore-Tex (vêtements performants), Téflon (casseroles, protège-surface pour salle de bains), Stainmaster (protège-tapis). Ils font aussi l'objet d'une utilisation industrielle abondante pour de multiples usages. Plusieurs fabricants de pantalons comme Lee et Levi Strauss ont récemment mis en marché des pantalons enduits d'un antitaches à base de cette substance.

Or, selon de nombreuses études indépendantes, un grand nombre des PFC et des substances issues de leur dégradation, comme les PFOA (acronyme anglais pour l'acide perfluorooctanoïque, ou APFO), se sont révélés toxiques pour les animaux et les gens, persistants dans l'environnement et omniprésents dans les analyses de sang humain partout dans le monde.

La Environmental Protection Agency (EPA) des États-Unis a d'ailleurs fait de l'éradication de ces produits une priorité depuis déjà cinq ans. Dans un geste significatif, elle a exigé en l'an 2000 un retrait volontaire par la compagnie 3M de l'ingrédient actif de son protège-tissu Scotchgard, les PFOS. 3M n'a pas fait connaître le composé du Scotchgard nouvelle formule polyvalente en aérosol, qui pourrait contenir des substances s'autodégradant en dangereux PFOA.

Par ailleurs, à ce jour, aucune réglementation n'encadre les émissions de ce type de polluants par l'industrie. Un fabricant comme DuPont peut ainsi en relâcher encore des tonnes dans l'environnement.

Pour faire soi-même preuve du minimum de précaution ignoré par l'industrie, il est possible de limiter notre exposition aux PFC grâce à des achats judicieux, même s'il est devenu aujourd'hui impossible d'éviter toute exposition à ces substances, vu leur ubiquité. Il importe de commencer ce mouvement de protection et de le faire savoir. Éliminer de nos achats les produits contenant ces substances contribue à diminuer leur présence dans l'environnement et dans notre corps.

Téflon, protège-tapis, canapés et tissus, vêtements performants et aliments emballés

Le Environmental Working Group (EWG) a extrait de sa recherche six précieuses consignes de précaution à notre portée (www.ewg.org).

- Éliminez graduellement, à la maison, l'utilisation du téflon et des accessoires de cuisson et d'usage variés qui sont antiadhésifs et conçus pour être chauffés. Si vous pouvez vous permettre une telle dépense, remplacez ces accessoires sans tarder. Chauffés à haute température, le téflon et les accessoires avec d'autres types de surfaces antiadhésives émettent des vapeurs qui peuvent être dommageables.

- N'utilisez pas le téflon ou tout autre accessoire de cuisson antiadhésif à la maison si vous avez des oiseaux de compagnie. En fait, évitez d'utiliser tout équipement de cuisine contenant du téflon ou toute autre substance antiadhésive chauffée à haute température lors de l'utilisation. Les vapeurs de ces matériaux peuvent rapidement tuer les oiseaux.
- À l'achat de canapés et de tapis, refusez les offres de traitement protecteur optionnel contre les taches et la saleté. Recherchez les produits qui n'ont pas reçu de prétraitements en interrogeant les vendeurs. La majorité de ces traitements chimiques contiennent des PFC susceptibles de contaminer votre maison et votre famille.
- Évitez d'acheter un vêtement qui porte une étiquette annonçant la présence de téflon ou toute autre indication montrant qu'il a été traité contre l'eau, les taches ou la saleté.
- Restreignez les aliments emballés et les aliments gras de restauration rapide dans votre diète. Ils sont parfois emballés dans des contenants enduits d'un revêtement intérieur de PFC pour éviter que le gras ne traverse l'emballage. Les PFC sont utilisés dans une grande variété de contenants, incluant les petites boîtes pour frites, les boîtes pour pizza et les sacs de maïs soufflé destinés au micro-ondes.
- Évitez d'acheter les produits cosmétiques et de soins personnels contenant sur la liste de leurs ingrédients les termes « fluoro » et « perfluoro ».

Aux six gestes recommandés par l'EWG, s'ajoutent des considérations pour les protège-fers à repasser, les poêles à frire, les casseroles et les housses antiacariens.

Les vêtements performants

Aux considérations soulevées par EWG, il est intéressant d'ajouter que les tissus performants avec lesquels sont confectionnés les vêtements de plein-air spécialisés reçoivent très souvent, au cours du processus de teinture, des traitements à base de PFC contre l'eau, les taches et la saleté.

Il convient aussi d'éviter les traitements dits antimoisissures, qui ne sont guère plus efficaces que les produits antibactériens. Faire sécher le vêtement avant de le ranger évitera le développement de moisissures. Ce type de traitement ralentit au mieux le développement des moisissures et renforce les bactéries anodines, comme le font les antibiotiques utilisés à l'excès.

On évalue que les traitements ne durent que six mois ou l'équivalent de 20 lavages.

Les marques Lee et Eddi Bauer utilisent le traitement au téflon de DuPont pour leurs pantalons protégés contre les taches. L'analyse de *Consumer Reports* (mai 2003, p. 10) démontrait leur faible efficacité contre les dégâts graisseux et épais. Une bien maigre performance, comparée à la pollution générée par ces produits.

Le protège-fer

Les protège-fers sont des sortes d'étui qui se fixent au besoin contre la semelle des fers à repasser. Ils facilitent la tâche du repassage pour les articles plus délicats. Mais ils sont faits en téflon, une substance à bannir de notre environnement.

Le *Guide du programme canadien d'étiquetage d'entretien* dit que les fers à repasser chauffent à des températures minimales de 110 °C et maximales de 200 °C. Selon la littérature scientifique révisée par les pairs, à température maximale, le protège-fer en téflon est donc exposé à une température de 200 °C, à partir de laquelle les recouvrements antiadhésifs se désagrègent et produisent des émissions. Il faudrait des études qui confirment la température réelle des fers à repasser selon leur âge pour formuler des consignes de sécurité plus précises pour la santé. Entretemps, le principe de précaution dicte la prudence. Ainsi, bien que le protège-fer soit éminemment utile pour le velours, les habits qui ne doivent pas lustrer, les vêtements contenant du polyester et les autres tissus délicats, il faut conclure que la précaution dicte de ne pas l'acheter et, s'il est déjà en notre possession, de réduire son utilisation au minimum.

Les poêles à frire

Poêles et casseroles recouvertes d'un revêtement antiadhésif en téflon sont le choix de la majorité des ménages nord-américains. Pourtant, dans l'état actuel des connaissances, le Environmental Working Group (EWG) américain conclut que la précaution dicte d'abandonner aussitôt que possible l'utilisation des accessoires à revêtement antiadhésif.

Malgré tout, il faut bien reconnaître que le revêtement antiadhésif est fort utile en cuisine et que bien des gens auraient du mal à s'en passer, notamment les personnes qui ne veulent pas utiliser de matières grasses lors de la cuisson. Disons-le, à ce jour, aucun matériau ne présente les mêmes propriétés antiadhésives que le téflon. Mais, répétons-le, un progrès cancérogène n'est pas un progrès, c'est un cancer…

L'ajout d'un peu de matière grasse dans une bonne poêle à fond épais en acier inoxydable donne de très bons résultats. Si vous êtes à la diète ou si vous souhaitez couper les gras, utilisez un vaporisateur pour l'huile végétale. La cuisson des œufs au micro-ondes, sans gras et dans une assiette de service en verre, est une astuce des plus commodes.

De même, les accessoires en fonte, émaillée ou non, offrent un bon pouvoir antiadhésif naturel et constituent un bon choix pour les aliments dont la cuisson ne nécessite pas une chaleur prompte et vive, auquel cas l'acier inoxydable convient mieux.

Les accessoires en aluminium anodisé offrent selon l'EWG une solution, mais certains préfèrent les éviter à cause d'études ayant relié l'exposition à l'aluminium à la maladie d'Alzheimer. Selon les scientifiques, les casseroles en aluminium ne contribuent pas significativement à augmenter le taux d'aluminium dans les aliments. Toutefois, plus les aliments sont acides, la tomate, par exemple, plus ce taux augmente.

Par ailleurs, il n'existe pas de preuves établissant avec certitude le lien de cause à effet entre la présence de niveaux élevés d'aluminium dans le cerveau des personnes affectées par la maladie d'Alzheimer et l'apparition de la maladie. Il s'agit donc d'un cas typique de précaution, en ce sens qu'il semble tout indiqué d'attendre que soit établie l'innocuité de l'aluminium avant de s'y exposer, plutôt que de jouer les cobayes.

Les housses antiacariens

Certaines des housses antiacariens pour oreillers, matelas et bases de lit offertes sur le marché ont subi un traitement ou possèdent une membrane de téflon. Elles appartiennent donc aux articles que la précaution encourage à éviter.

Par ailleurs, il existe aussi des housses en vinyle. Elles présenteraient pour leur part un danger d'émanations similaire à celui que posent les recouvrements de plancher en vinyle. Elles sont donc aussi à éviter. Les planchers en vinyle seraient aussi reliés à l'asthme, selon une étude suédoise (voir plus loin).

La solution idéale serait donc des housses dont les fibres sont tissées très finement – le microtissage –, de sorte que l'espace entre les fibres est inférieur à 6 microns, ce qui barre la route à la poussière naturelle et aux acariens.

L'eau

L'eau du robinet et les filtres

Au début de janvier 2002, le Environmental Working Group (EWG) publiait une première évaluation faite à l'échelle des États-Unis sur l'impact des sous-produits du chlore (SPC) qui aboutissent dans l'eau potable. Les SPC résultent de la réaction entre le chlore et les matières organiques présentes dans l'eau – comme celles qui sont issues de l'agriculture telle qu'on la pratique en ce moment.

À cause de la présence des SPC, il est estimé (U.S. PIRG, 2002) que 100 000 femmes présentent des risques élevés de fausse couche ou de donner naissance à un enfant affecté de malformations congénitales. Au Canada, on parle approximativement de 10 000 femmes. Au Québec, cela représente environ 2 000 femmes.

Chloration et SPC deviennent d'autant plus problématiques qu'on refuse d'éliminer la pollution à la source. Il s'agit souvent, pour éviter d'avoir à utiliser massivement le chlore comme désinfectant, de décontaminer les bassins d'eau potable de leurs polluants agricoles et industriels, voire parfois domestiques à cause des eaux de rejet non suffisamment traitées des municipalités.

Eaux de rejet

Montréal s'est vue attribuer, avec Victoria, la pire note, sur 22 villes canadiennes, pour le traitement de ses eaux usées évaluées dans un rapport du Fonds de défense légale du Sierra Club (www.sierralegal.org).

La note est basée sur « différents critères, dont le niveau d'épuration, le volume des eaux usées déversées à l'état brut et les progrès effectués ou non depuis la plus récente édition du bulletin, en 1999 ».

Eaux de rejet (suite)

Trois villes albertaines – Edmonton, Calgary et Whistler – ont reçu les notes les plus élevées, presque tous leurs effluents ayant droit au niveau tertiaire d'épuration, soit le plus élevé. Montréal continue à déverser 3,6 milliards de litres d'eaux usées brutes directement dans le fleuve. Elle n'effectue qu'un traitement primaire de ses eaux et n'a fait aucun progrès depuis le dernier rapport en 1999.

Le Canada ne possède pas encore de normes nationales de traitement des eaux usées comme celles de l'Union européenne et des États-Unis.

Comme consigne de précaution, le EWG recommande en particulier aux femmes enceintes de continuer à boire de l'eau en abondance, tout en utilisant un système domestique de filtration de l'eau au charbon – et ce, particulièrement en été, alors que les niveaux de SPC auraient tendance à s'élever.

On trouve les filtres au charbon dans les systèmes en pichet et à robinet genre Brita, et les systèmes qui s'installent sous l'évier, mais pas dans les systèmes dits à osmose inversée.

Filtres

Les très vieilles résidences peuvent avoir des canalisations en acier galvanisé avec soudures au plomb ; dans les résidences plus récentes, il peut y avoir des soudures à base de plomb sur les canalisations en cuivre et la robinetterie. Même si une telle pratique ne fait rien pour économiser l'eau, *Consumer Reports* indique que laisser couler l'eau durant deux minutes chaque jour, lors de la première utilisation, permet d'évacuer l'eau dont la concentration au plomb s'est élevée durant la nuit. Cette suggestion peut paraître excessive dans les nouvelles résidences.

Filtres (suite)

L'analyse de *Consumer Reports* fait ressortir que l'eau achetée en bouteille de 4 litres coûte plus du double de celle qui utilise un système de filtration, alors que l'eau livrée à la maison en contenant de 20 litres coûte de cinq à sept fois le prix de l'eau filtrée.

Le choix de l'un ou l'autre système de filtration de l'eau doit prendre en compte les usages de la maisonnée et les quantités d'eau recherchées.

Le pichet filtrant est économique, sans installation et facile à utiliser, mais il occupe de l'espace sur le comptoir ou dans le frigo et ne fournit qu'une quantité d'eau limitée à la fois. Selon le test de *Protégez-vous* (août 1999, p. 3-7), il peut filtrer avec efficacité non seulement les SPC, mais aussi les métaux lourds comme le plomb et un herbicide comme l'atrazine. Dans une étude ultérieure sur le même type de filtre mais fixé au robinet (octobre 2000, p. 21-25), l'aluminium et les nitrates étaient aussi filtrés avec efficacité. Toutes les marques n'étaient pas aussi efficaces, Brita venant en tête après le RubberMaid 3777, aujourd'hui indisponible mais qui offrait un meilleur rendement pour l'herbicide : ce qui indique une possibilité d'amélioration fort souhaitable pour Brita.

Certains pichets filtrants, dont Brita, utilisent l'argent avec le charbon pour limiter significativement la prolifération bactérienne lorsque le pichet n'est pas gardé au réfrigérateur – ce qui devrait être le cas autant que faire se peut.

Filtres (suite)

La présence d'argent dans le filtre comme bactéricide se traduit par la présence d'argent dans l'eau filtrée, en quantité moitié moindre que la limite fixée par le *Règlement sur l'eau potable*, souligne *Protégez-vous*. Il faudra revenir plus longuement sur cet élément, puisque la précaution nous met en garde contre ces substances en quantité minimale, dont l'impact cumulatif et croisé à long terme n'a pas fait l'objet de tests.

Malheureusement, les pichets de la marque Brita sont constitués de plastique non recyclable – le *styrene methylmethacrylate copolymere*, en anglais –, ce qui implique qu'ils aboutiront à terme dans un incinérateur et contribueront à la pollution par les dioxines cancérogènes générées par ce procédé d'élimination. Les dioxines aboutissent éventuellement dans notre alimentation et constituent l'un des principaux polluants chimiques dont la précaution nous incite fortement à nous protéger. Appelez la compagnie et affirmez votre préférence pour un pichet en résine recyclable.

De plus, on ignore, au moment de la rédaction de ces lignes, si le plastique des pichets Brita appartient ou non aux plastiques dont la recherche récente suggère de nous protéger pour cause de transfert au contenu de substances à risque. À titre d'exemple, la recherche et la précaution nous suggèrent d'éviter l'eau en fontaines de 20 litres constituées de polycarbonate (numéro 7), comme il est expliqué.

Protégez-vous (octobre 2000, p. 21-25) déconseille totalement le système fixé au robinet. Il favorise la prolifération bactérienne dans l'eau largement au-dessus des normes.

Filtres (suite)

Le système classique sous l'évier sert l'eau par un robinet séparé et requiert une installation professionnelle ; significativement plus dispendieux à l'achat (environ 300 dollars avec installation), avec un prix de revient au litre d'environ 30 % supérieur aux précédents. Efficace, pratique.

Le système à osmose inversée, utilisant une membrane spéciale, offrait un débit lent, un coût élevé et un filtrage restreint des SPC (en particulier le chloroforme).

Les systèmes fixés sur l'entrée d'eau des résidences se sont avérés les seuls à ne pas réussir à filtrer les SPC les plus courants – le chloroforme – lors de tests effectués par *Consumer Reports* (janvier 2003, p. 33-38).

Pour ajouter à la protection contre les SPC, on recommande aussi d'éviter les douches et bains trop prolongés parce que les SPC en suspens dans la vapeur peuvent être absorbés par l'air et la peau. On ajoutera la suggestion de David Suzuki : évitez d'ouvrir la porte du lave-vaisselle avant que la vapeur se soit dissipée.

Au Québec, contrairement à ce qui a cours dans le reste du Canada et aux États-Unis, les municipalités n'ont pas le droit de chlorer les eaux usées, ce qui réduit la pollution environnementale au chlore et aux SPC par les eaux de rejet. Tout ce qui contribue à réduire les usages domestiques et industriels du chlore – comme pour le blanchiment du papier – abaisse aussi cette pollution chimique. Limiter notre consommation domestique d'eau de Javel y contribue aussi.

Il n'y a pas de consignes connues sur la façon de se protéger des résidus de produits pharmaceutiques présents dans l'eau courante. Ces résidus se retrouveraient dans les eaux usées par l'entremise de nos excrétions et la pratique mal avisée de jeter dans les toilettes les médicaments périmés. Après le traitement des eaux usées qui ne peut retenir ces résidus, ils s'accumuleraient finalement dans les bassins d'approvisionnement en eau de nos municipalités.

Les résidus pharmaceutiques trouvés à l'occasion d'études récentes (et partielles, il importe de le rappeler, étant donné les moyens financiers limités) se retrouvent en quantités minimales dans l'eau et pourraient paraître anodins. Or, comme pour toute substance, la recherche recommande de ne pas négliger les effets croisés de l'ensemble des résidus de produits pharmaceutiques et chimiques, ni ceux de leurs provenances diverses. Plus encore, le principe de précaution suggère à tout le moins la vigilance quand on sait que des traces importantes de métabolites de contraceptifs ont été découvertes dans des poissons du Saint-Laurent de la région montréalaise. À suivre, tout en évitant de participer à la contamination de notre propre eau courante en jetant des médicaments périmés aux toilettes au lieu de les rapporter à la pharmacie.

L'eau embouteillée

Des chercheurs italiens ont constaté qu'après neuf mois, les substances DEHP contenues dans le polyéthylène des bouteilles en plastique migrent vers le contenu de la bouteille. Or, la plupart de ces bouteilles sont fabriquées avec les plastiques numéro 1 PETE/ PET ou numéro 2 DEHP, des substances potentiellement cancérogènes.

Les chercheurs concluent que, même si ce plastique n'est pas le plus à risque, la précaution doit nous inciter à interrompre l'utilisation de l'eau embouteillée. Tout un défi, alors que ces bouteilles sont maintenant omniprésentes et qu'elles ont contribué à la hausse de la consommation d'eau. Un tel choix exige que l'on utilise un système de filtration au charbon et que l'on se serve de carafes ou de gourdes plutôt que de ces bouteilles. Si l'on choisit de seulement limiter notre utilisation des bouteilles, il est important de respecter la consigne du remplissage unique et de résister à la manie fort répandue d'utiliser ces contenants pour des remplissages multiples avec une eau filtrée à la maison.

Quant aux fontaines de 18 litres, le *Consumer Reports* de janvier 2003 (p. 38) avance que pour la majorité des gens, l'eau en bouteille est sûre lorsqu'elle respecte les standards gouvernementaux. Mais un rapport du même magazine publié en 2000, qui analysait les contaminants dans les produits des grandes marques, a relevé que 8 bouteilles de fontaine faites de polycarbonate (numéro 7) sur 10 laissaient des résidus de bisphénol-A, un perturbateur du système endocrinien. Les chercheurs italiens indiquent que certains résidus peuvent se retrouver dans l'eau à la suite de la détérioration du plastique par le vieillissement, la chaleur ou une substance acide.

Comme dans plusieurs autres domaines, l'industrie utilise l'argument des quantités minimales pour dire qu'il n'y a pas de risque à utiliser les bouteilles de fontaine. Mais cet argument exigerait une preuve que ne fournit pas l'industrie. Par ailleurs, avec les instruments précis d'aujourd'hui, on découvre que les mêmes substances en quantités minimales peuvent avoir des effets nocifs et qu'elles contribuent à la hausse de la pollution chimique de nos corps. Le principe de précaution suggère donc d'éviter aussi l'utilisation des bouteilles de fontaine telles que conçues actuellement.

Deux motivations complémentaires peuvent nous inciter à ajuster nos comportements. Premièrement, il existerait d'autres types de plastiques qui ne laisseraient pas de résidus et que pourrait peut-être utiliser l'industrie. Il s'agit de celui avec lequel sont faits les contenants de quatre litres d'eau et les flacons à lait et à jus (numéro 2), ainsi que celui des bouteilles pour cyclistes (numéro 5). Deuxièmement, la production du plastique de ces bouteilles est beaucoup plus polluante que celle du verre. Pis encore, la plus grande part des bouteilles d'eau à remplissage unique sont actuellement enfouies ou incinérées plutôt que recyclées, et cela, même après avoir été déposées dans un bac de récupération. Sans compter que ces bouteilles ne sont pas consignées et qu'elles ne peuvent donc pas être retournées au marchand contre remboursement, contrairement à celles des boissons gazeuses. Deux aberrations.

Les plastiques à éviter et les plastiques à préférer

Dans le numéro de mars-avril 2004 du magazine états-unien *World Watch,* la rédactrice en chef du *Green Guide* rappelait justement que l'eau en bouteille n'est pas nécessairement plus saine que l'eau du robinet.

L'infiltration de substances plastifiantes dans l'eau des bouteilles serait accélérée à température plus élevée, raison pour laquelle l'eau prend rapidement un goût de plastique lors des jours de grandes chaleurs.

Il y a plusieurs types de plastiques, certains ayant démontré des traits possiblement ou probablement toxiques, d'autres se révélant sains, jusqu'à maintenant. Les divers types de plastiques sont identifiés selon le code international, soit un chiffre apposé à l'intérieur du triangle symbole de recyclage.

Évitez les plastiques suivants

Le plastique numéro 7 (polycarbonate) pour les biberons, les tasses et les bonbonnes d'eau de 20 litres, parfois de 3,5 litres, à cause du risque posé par la présence du bisphénol-A, un perturbateur hormonal chez les animaux de laboratoire, qui peut s'infiltrer dans l'eau. Utilisez les biberons en verre de sécurité ou faits des plastiques numéro 5 (polypropylène) ou numéro 1 (polyéthylène) sans bisphénol-A.

Les plastiques à éviter et les plastiques à préférer (suite)

Le plastique numéro 3 (PVC : chlorure de polyvinyle), souvent utilisé comme emballage pour le fromage et la viande. Lorsqu'il est en contact avec des mets gras ou chauds, il laisse filtrer des substances (phtalates, adipates) ayant manifesté des effets nocifs lors d'expériences scientifiques. La fabrication et l'élimination du PVC numéro 3, qui n'est pas recyclable, laissent entre autres échapper des dioxines cancérogènes dont il est impératif de limiter l'émission.

Le plastique numéro 6 (polystyrène), souvent utilisé pour les gobelets ou les récipients pour les aliments en supermarché est un cancérogène et un perturbateur hormonal potentiel. Remplacez-le pour boire et, surtout, ne faites jamais chauffer des aliments dedans.

Préférez les plastiques suivants, qui n'ont démontré aucun effet cancérogène ou perturbateur pour le système hormonal

Le plastique numéro 2 HDPE, largement utilisé pour les récipients d'aliments réutilisables.

Le plastique numéro 4 LDPE, surtout utilisé pour les sacs et les emballages.

Le plastique numéro 5 (polypropylène), utilisé pour les gourdes de sportifs, les pots de yogourt et autres contenants pour aliments.

Papier d'imprimante

Bonne nouvelle : Cascades-Canada fabrique et offre un papier d'imprimante sous la marque NouvelleVie Repro qui est certifié Choix environnemental ; à prix minimal en plus. Un incontournable. Demandez-le à votre commerçant.

L'utilité d'acheter un produit certifié Choix environnemental est, comme il est expliqué à la rubrique « Choix des produits avec le logo Choix environnemental », que nous sommes assurés par une tierce partie qu'il répond à des critères environnementaux élevés tant lors de sa fabrication que lors de son utilisation et de son élimination. Comme exemple, la présence de fibre recyclée dans le papier n'est que l'un des nombreux critères exigés par la certification.

On sait que le produit certifié est sécuritaire sans avoir à se demander quel pourcentage de fibres recyclées le papier contient, s'il est blanchi au chlore ou si l'usine utilise des procédés éconergétiques. C'est vrai aussi bien pour le papier que pour les peintures, les détergents à lessive et d'autres produits.

Produits de beauté et de santé

Noms de substances impossibles

Le méthylisothiazolinone (MIT) est particulièrement présent dans les shampooings antipelliculaires, les crèmes et lotions pour la peau, les produits solaires. Il sert à limiter la prolifération de bactéries en milieu humide, donc à allonger la durée de vie des produits.

Faut-il éviter cette substance ? L'auteur d'une étude (Aizenman, 2004) est d'avis qu'il est impossible de conclure avec certitude à l'existence d'un danger pour la population à partir de ses résultats en laboratoire. Mais il tient à souligner qu'« il pourrait très bien exister des conséquences neurodéveloppementales au MIT ».

Ce qui nous laisse avec encore une autre substance chimique au nom impossible à mémoriser pour en repérer la présence sur les étiquettes des produits d'hygiène et de beauté.

On pourrait ajouter que Paul Anastas, directeur de l'Institut américain de chimie verte et conseiller scientifique à la Maison Blanche en 1999, souligne que les shampooings contiennent des polyacrylates – autre nom impossible –, une sorte de polymères qui ne se dégradent pas dans l'environnement et peuvent générer des déséquilibres qui affectent éventuellement la santé humaine.

On sait pourtant maintenant fabriquer des shampooings avec des polyasportates, qui eux se dégradent facilement.

Difficile d'utiliser des termes comme « méthylisothiazolinone » et « polyacrylates » comme cris de ralliement dans une manif pour exiger des produits plus sécuritaires.

On peut tout de même les demander au service à la clientèle des grandes marques ou, mieux, demander des produits de soin certifiés Choix environnemental afin de ne plus avoir à mémoriser des termes impossibles. Les désirs des consommateurs sont des ordres, pour les chasseurs de tendance du marketing.

Le choix des produits de beauté et de santé certifiés Choix environnemental est à l'heure actuelle restreint mais présente l'avantage d'exister. Le voici :

Produits de beauté et de santé certifiés
La marque Nature Clean offre dans les Provigo/Loblaws, un shampooing (Shampooing aux herbes/Herbal Shampoo), un revitalisant (Revitalisant organique/Organic Conditioner), un savon liquide pour les mains et le corps (Savon liquide/Liquid Soap), de même qu'un savon en pain pour le visage et le corps.
Deb Naturelle™ Shampooing pour corps et cheveux

Phtalates

Par ailleurs, les phtalates sont des substances chimiques qui se retrouvent dans de nombreux produits de beauté et de santé. De grandes marques commerciales en contiennent, comme le *Éternité* de Calvin Klein, le fixatif en vaporisateur Aqua Net, le fixatif en mousse Salon Selectives, l'antisudorifique solide Dove.

Des études récentes du Center for Disease Control (CDC) aux États-Unis ont révélé la présence fréquente des phtalates dans les analyses de sang humain. L'International Agency for Research on Cancer a déjà décrit les métiers de coiffeuse et de barbier comme étant des cancérogènes probables.

D'autres études ont relié la pollution corporelle aux phtalates à des dommages aux poumons, au foie et aux reins, de même qu'aux testicules de nouveau-nés. Ce constat provient d'études sur les animaux à même d'établir fidèlement l'impact des substances sur la santé humaine.

Les études sur lesquelles s'appuient les fabricants pour affirmer que les phtalates sont sécuritaires portent sur l'impact d'une seule substance à la fois. Dans les faits, la population est exposée aux effets croisés de nombreuses substances provenant de non moins nombreuses sources. Cette réalité contribue à la potion chimique corporelle dont le niveau élevé s'est avéré une source d'inquiétudes légitimes depuis les toutes premières études qui l'ont révélée.

Au vu de ces risques, l'Europe interdit depuis janvier 2003 l'utilisation des phtalates DEHP et DBP dans les cosmétiques, guidée qu'elle est par l'esprit de la précaution qui préside à son cadre réglementaire.

Comme pour la majorité des substances chimiques créées, les fabricants de produits de beauté et de santé en Amérique n'ont aucune obligation d'effectuer des études significatives pour vérifier la sécurité de leurs produits. On sait pourtant que 884 des 3 000 substances utilisées pour les seules fragrances ont déjà été reliées à des problèmes de santé dont les moindres sont des allergies.

De plus, rien n'oblige au Canada l'inscription sur les étiquettes de tous les ingrédients d'un produit ; ne sont inscrits que les quelques ingrédients à l'allure naturelle qui séduisent la clientèle.

Le réputé Environmental Working Group (EWG) souligne qu'il existe des alternatives sécuritaires aux phtalates pour toutes les catégories de produits de beauté et de soin. L'utilisation des phtalates relève donc d'une conception erronée, n'ayant pas intégré la prise en compte du principe de précaution.

Il est donc indiqué de se protéger, surtout les femmes en âge de procréer, en préférant les marques commerciales identifiées comme étant exemptes de phtalates par EWG – marques disponibles sur le site Internet du EWG, en langue anglaise (www.ewg.org, rubrique « Cosmetics »).

EWG offre de plus sur son site les résultats d'une enquête plus large. Il est possible de consulter l'évaluation, sur une échelle de 1 à 10, du degré de préoccupation obtenu par 7 500 marques de produits et 10 000 de leurs ingrédients. Il est facile d'y trouver l'information sur nos produits préférés.

Il est bon de noter que l'enquête d'EWG sur les produits de beauté et de santé a trouvé des motifs de préoccupation mais pas de raisons de tirer la sonnette d'alarme.

Chapitre 4

ENTRETIEN DE LA MAISON

Mises au point

La présente section sur l'entretien contient une foule de renseignements et de façons de faire concernant les produits d'usage courant. Le choix des produits d'entretien peut avoir un impact significatif sur la pollution de nos corps.

Par chance, il est possible de se protéger tout en se simplifiant la vie. On le dit souvent, mais il reste que placards et armoires d'évier ressemblent trop fréquemment à de véritables laboratoires, étant pleins de produits pour une bonne part oubliés et inutilement corrosifs et toxiques. La Fondation québécoise en environnement milite en faveur d'une réduction des produits de nettoyage domestique. Surtout, il ne faut pas jeter de tels produits à l'égout, sans quoi ils aboutissent dans les nappes d'eau, puis dans notre organisme, puisque la plupart des municipalités ne peuvent les filtrer dans les eaux usées.

Des suggestions d'achat de nettoyants sont données à la rubrique « Favorisez ces produits et gestes simples ». pour faciliter des choix inspirés par le principe de précaution. Une foule de trucs pour nettoyer la maison, les matelas ou le patio, de même que pour détacher vêtements et surfaces sont aussi présentés. Belle occasion de prendre le virage de la révolution bleue. Les choix proposés s'appuient sur les expertises reconnues et non sur de simples spéculations ou préférences personnelles. Le mieux étant parfois l'ennemi du bien, toutes les solutions présentées ici ne sont pas parfaites, mais elles ont le mérite d'offrir une alternative à des produits qui, eux, sont vraiment malsains.

La majeure partie des spécialistes en écosanté s'entendent pour dire que si l'heure n'est pas à la panique, elle est à l'adoption urgente d'habitudes préventives. Les ménages canadiens utilisent 54 kilotonnes de nettoyants par année. Les commerces et industries? Un peu plus. Nos choix, en tant que consommateurs, non seulement ont un impact direct sur notre santé, mais ils ont le pouvoir d'influencer l'industrie en l'obligeant à offrir des produits plus sensés.

Faut-il choisir entre sécurité et efficacité ?

Malheureusement, l'innocuité d'un produit ne garantit pas son efficacité. Les analyses d'efficacité, pour lesquelles sont réputés les magazines de consommateurs, demeurent indispensables. Le savon biodégradable qui laisse une épaisse pellicule graisseuse sur le corps lorsqu'il est utilisé avec de l'eau dure, le nettoyant qui ne nettoie pas ou qui ne désinfecte pas... tous ces produits qui se vendent très cher finissent par épuiser la bonne volonté du consommateur le plus désireux de bien faire.

L'inventaire des solutions simples, efficaces et sécuritaires a été dressé en pensant spécifiquement aux personnes qui n'ont ni le temps ni l'argent pour tout tester elles-mêmes. De nombreuses solutions proposées coûtent la même chose, ou moins, que les produits conventionnels.

Pour les produits sécuritaires, on ne dispose souvent pas d'analyses d'efficacité comparatives et indépendantes par des groupes tels que le magazine *Protégez-vous*. C'est l'intérêt et la demande de la population qui feront vraiment changer les choses. Les numéros sans frais du service à la clientèle inscrits sur les produits permettent de manifester votre préférence pour des nettoyants plus sains. C'est ça, la révolution !

Un petit nombre des produits nettoyants parmi les plus dangereux sont aussi vraiment plus efficaces. Mais on n'en sort pas : un progrès cancérogène n'est pas un progrès, c'est un cancer. À moins d'avoir du temps à consacrer à la maladie, mieux vaut choisir la précaution.

La pollution intérieure

L'air dans les logis serait de deux à cinq fois plus pollué que celui de l'extérieur, entre autres à cause des produits chimiques qu'on y retrouve et des matières isolantes ; c'est pourquoi il est important d'aérer souvent la maison, et à plus forte raison lorsqu'on fait le ménage. Selon les études de la très sérieuse Agence américaine pour la protection de l'environnement (EPA), la pollution de l'air à l'intérieur de nos logis est l'un des principaux motifs d'inquiétude pour la santé, et les produits d'entretien sur le marché, une importante source de pollution.

En réalité, pour anodins et même sympathiques qu'ils paraissent, avec leurs parfums affublés de noms comme Douce brise, un grand nombre des nettoyants sur le marché ne sont pas sécuritaires selon les critères du logo Choix environnemental, géré, pour le gouvernement fédéral, par un groupe indépendant.

Une enquête du magazine *Protégez-vous* (octobre 2001, p. 7-12) révélait que « les produits courants – cigarette, pesticides, nettoyants, produits parfumés branchés à une prise électrique, vêtements nettoyés à sec, assouplisseurs pour tissus et aérosols – sont la source la plus importante de pollution intérieure ». L'enquête rappelle que les parfums de synthèse, ces parfums artificiels élaborés grâce à divers composés chimiques et que l'on retrouve dans la majorité des nettoyants, sont composés de substances qui n'ont pas à être déclarées et ne sont pas régulées par la *Loi sur les produits dangereux*.

Près de 30 % des gens souffriraient d'hypersensibilité aux produits nettoyants courants et de 10 à 15 %, d'une hypersensibilité aiguë. Au Canada, une famille moyenne utilise chaque année entre 20 et 40 litres de produits nettoyants toxiques.

Par ailleurs, la mention « Sans danger pour les fosses septiques » souvent utilisée ne signifie pas que le produit n'est pas toxique ou qu'il est biodégradable.

Le fait que la plus grande part de la pollution chimique soit causée par l'industrie fait croire à certaines personnes que leurs gestes n'ont pas d'impact significatif. C'est faux, et cela pour deux raisons. Un, la rigueur des critères de certification des produits garantit que ceux qui sont reconnus comme sécuritaires protègent directement la santé de leur utilisateur. Deux, les critères pour la certification des produits exigent des industries qu'elles recourent à des procédés moins lourds et moins polluants pour la fabrication, en plus d'exiger que les produits ne soient pas polluants lors de leur élimination. En choisissant des produits certifiés, notre panier d'épicerie devient une arme lourde contre les menaces de la pollution.

Intéressant...

Le choix des marques qu'on utilise a des effets cumulatifs réels. Si chaque foyer américain remplaçait une bouteille (835 ml) de nettoyant liquide pour la vaisselle à base de pétrole par son équivalent à base végétale, il y aurait une économie de 82 000 barils de pétrole. De quoi faire rouler une voiture sur 143 276 000 km, ou 7 200 voitures sur 20 000 km. La multiplication de tels gestes peut vraiment changer le monde.

Intéressant… (suite)

Le simple achat de quatre rouleaux de papier hygiénique recyclé par tous les foyers canadiens épargne 72 900 arbres, évite l'enfouissement de l'équivalent de 334 camions à ordures pleins, élimine 58 295 kg de pollution et économise l'eau nécessaire à 854 familles de quatre personnes pendant toute une année. Essuie-tout et serviettes de table recyclés démultiplient cet impact.

L'achat d'un paquet de 30 sacs verts à ordures en résine recyclée ou de maïs par tous les foyers canadiens sauve le pétrole nécessaire pour chauffer 1 550 maisons durant un an (37 500 barils d'huile). Il évite l'enfouissement de l'équivalent de 190 camions à ordures.

Autrement dit, cessons de jeter une bonne partie de ce que nous achetons.

Les nettoyants à base de solvants

Les solvants sont des liquides volatils qui dissolvent le liant de substances comme la gomme, la colle ou la peinture à l'huile pour les rendent fluides.

Les nettoyants à base de solvants représentent 10 % des produits dangereux d'une maisonnée, après la peinture, les batteries de voiture et les effets de toilette. Ils génèrent une partie des 30 kg de rebuts hautement toxiques évacués chaque année par les familles.

L'évacuation de nos rebuts toxiques dans le système d'égout n'est pas sans effets. Même si les municipalités sont censées avoir un système de filtration adéquat, ces systèmes ne sont pas conçus pour retenir les substances qui vont s'ajouter à la pollution chimique de l'environnement.

Pour se débarrasser des restes de solvants et autres produits dangereux, refermez avec soin les contenants et rangez-les en sécurité à l'extérieur du logis pour éviter d'être exposé à leurs émanations. Suivez ensuite les indications de la municipalité quant aux collectes sélectives.

Les concentrés et les suggestions de la SCHL

Acheter des concentrés plutôt que des produits prêts à utiliser peut générer des économies significatives, en plus d'utiliser moins de ressources. Des concentrés de produits conventionnels se trouvent en quincaillerie, mais les concentrés de produits plus sains se trouvent à meilleur prix dans les commerces spécialisés comme la coop La Maison verte, à Montréal.

Respectez les dosages indiqués. Trop de nettoyant réduit l'efficacité et laisse des résidus, contrairement à l'idée qui nous vient spontanément. Le détergent agit en soulevant la saleté, mais pour être efficace, le mélange de résidus et de saleté doit être évacué, sans quoi la surface demeurera sale. De fait, le surplus de nettoyant déposé sur les surfaces laisse une fine pellicule qui attire la saleté et devra donc être rincée.

> La coopérative La Maison verte est un commerce montréalais de produits nettoyants écologiques sécuritaires. Elle offre des produits qu'on ne trouve pas dans les commerces conventionnels et souvent à un coût significativement moindre que celui des magasins de produits naturels. Le déplacement en vaut la peine, pour faire nos provisions de nettoyants et pour avoir de l'information. On y trouve aussi d'autres produits, comme de la peinture.

À titre indicatif, il est intéressant de rappeler quelques suggestions préventives simples proposées par la Société canadienne d'habitation et de logement (SCHL) pour se protéger contre l'asthme.

Les suggestions de la SCHL

- Éliminez les détergents chimiques puissants et les produits de nettoyage parfumés.
- Évitez les assainisseurs d'air et les désodorisants. Ils masquent les odeurs au lieu de les éliminer et ils ajoutent des polluants dans l'air.
- Passez l'aspirateur à fond et souvent. Ayez recours à un aspirateur muni d'un bon filtre (HEPA) ou à un aspirateur central ou portatif avec évacuation à l'extérieur.
- Le moyen le plus efficace pour enrayer les acariens consiste à abaisser le taux d'humidité dans la maison et non à recourir à des produits chimiques ou à des housses protectrices.
- Un taux d'humidité élevé entraîne la prolifération des moisissures, un problème qui peut s'avérer plus grave que les acariens.
- Enlevez les sources d'odeurs chimiques de la chambre par exemple, les panneaux de particules non scellés ou le parfum).

Prenez note que le filtre HEPA suggéré par la SCHL s'est révélé inefficace à l'usage, parce que la hausse de la capacité d'absorption du filtre est contre-balancée par une baisse de la capacité d'aspiration des poussières, selon la recherche de Hannah Holmes (*The Secret Life of Dust*, *op. cit.*).

Les trucs pour gagner du temps en se protégeant

Éliminez ces produits et adoptez ces façons de faire

- Éliminez des heures d'entretien en déposant un bon tapis-brosse à poils longs à l'extérieur, devant la porte d'entrée, pour servir de rempart à la saleté – en effet, 80 % de la saleté pénètre par là. Ajoutez une carpette à l'intérieur et secouez les deux quand vous sortez les ordures.

Lavez-les au boyau ou à l'eau savonneuse avec une brosse au besoin. Laisser à l'entrée les chaussures portées à l'extérieur demeure le moyen le plus efficace de limiter la dispersion dans la maison des polluants contenus dans la poussière extérieure.

- Éliminez le rinçage de la vaisselle ; gratter la vaisselle sans la rincer avant de la laver épargne jusqu'à 124,80 dollars par année, en argent et en énergie. Laver la vaisselle à la main dépense plus d'énergie qu'au lave-vaisselle.
- Un bon élément électrique peut réduire de 40 % le temps de cuisson des aliments. Les plaques de cuisson facilitent quant à elles le nettoyage. Un four autonettoyant efficace élimine le recours aux nettoyants à four commerciaux, constitués de substances toxiques. Il existe des appareils performants à bas prix identifiés par *Consumer Reports* (août 2002 et mars 2004) et recommandés par EnergyStar sur son site Web.
- Les réfrigérateurs récents consomment 30 % moins d'énergie que les modèles plus anciens. Sur une facture moyenne d'électricité de 67 dollars, par exemple, la somme épargnée est suffisante pour payer en quelques années seulement la moitié du coût d'un appareil économique, avec le congélateur en bas pour faciliter l'accès au réfrigérateur, qui sert plus souvent. Voir les recommandations à www.energystar.qc.ca.
- Le coût supérieur d'une lessiveuse à chargement frontal sera remboursé par les quelque 900 dollars que vous épargnerez en énergie durant les seize années de vie de l'appareil. Et plus encore, puisque ce type de laveuse offre un essorage supérieur, ce qui a le plus d'impact sur le rendement de la sécheuse. Sur cette dernière, un senseur d'humidité, et non de chaleur – à bien vérifier –, protège les tissus contre la surchauffe et le surcroît de temps de séchage, limitant ainsi des frais inutiles. Consultez les magazines *Protégez-vous* (www.pv.qc.ca) et *Consumer Reports* (août 2003), en plus des recommandations d'EnergyStar.

- Une cuvette de toilette bien conçue se salit moins, en plus d'être efficace à faible débit d'eau. Mais attention, certains modèles à faible débit sont tout simplement inefficaces. Il est regrettable que de tels modèles existent, puisqu'ils ne font que décourager les personnes de bonne volonté qui font des tentatives d'achats écologiques et sécuritaires. Avant d'acheter, consultez le *Consumer Reports* d'octobre 2002.
- Évitez les produits à base d'antiadhésif PFC (poêles en téflon, sous-tapis, canapés et tissus, nettoyants à salle de bains limitant l'adhésion de la saleté). L'antiadhésif et les substances issues de sa dégradation se sont révélés toxiques pour les humains et les animaux, persistants dans l'environnement et omniprésents dans les analyses de sang humain partout dans le monde. C'est le même type de substances qui a récemment dû être éliminé du protège-tissu Scotchgard et dont la Environmental Protection Agency des États-Unis a fait une priorité depuis cinq ans. Les meilleurs ustensiles de cuisson sans antiadhésif offrent rendement et facilité d'entretien très raisonnable, à bon prix. Ils sont faits en acier inoxydable et en alliage d'acier inoxydable et de cuivre. La fonte est un autre choix. La précaution exige ici un léger coût en commodité, mais la santé, elle, n'a pas de prix.
- Éliminez l'usage d'abrasifs : tampons d'acier et récurants trop forts. Ils éraflent les surfaces et les rendent poreuses, elles deviennent ainsi plus perméables à la saleté.
- Éliminez le tiers de l'entretien ménager en vous débarrassant de tout ce qui est inutile, encombrant et long à entretenir. La règle du 20-80 soutient qu'on n'utilise que 20 % de nos biens. Le reste est parfois utile, mais il est surtout encombrant. Rangez tous les objets qui appartiennent à cette catégorie dans des contenants : papiers, jouets, vêtements.
- Faites le ménage de vos armoires et placards, et jetez les produits dangereux dont vous ne vous servez plus. Ne les jetez pas à l'évier, à la cuvette ou à la poubelle, allez plutôt les porter au centre de cueillette des produits dangereux

de votre municipalité. Les usines de traitement des eaux ne sont pas équipées pour éliminer de l'eau courante le cocktail des substances que nous y expédions. La même règle s'applique aux médicaments périmés et aux sirops, qui doivent être retournés sans faute à la pharmacie.

- Éliminez près d'un autre tiers de l'entretien ménager en effectuant d'abord des travaux de rénovation qui diminueront le plus l'entretien : plancher, cuvette, évier et jointements de tuiles deviennent poreux et difficiles à nettoyer au fil du temps. Installez un ventilateur de salle de bains, cela prévient les moisissures. Sur les murs des pièces les plus utilisées, remplacez les peintures à fini mat par des peintures à fini semi-brillant et brillant. Choisissez des rideaux qui se lavent aisément. Remplacez les tapis par des planchers durs qui s'entretiennent plus facilement et qui accumulent moins de saletés allergènes. Procurez-vous une époussette en laine d'agneau pour un entretien rapide et régulier, stores vénitiens à lamelles horizontales inclus. On trouve ces époussettes pour une quinzaine de dollars dans les magasins à grandes surfaces.
- Éliminez un autre 40 % d'entretien en créant des moyens de rangement à proximité des lieux où s'accumulent les traîneries : crochets à vêtements plus nombreux, coffres de rangement. Recherchez les organisateurs, qui génèrent de l'ordre plutôt que du travail d'entretien. Ranger les jouets dans des boîtes selon leurs grosseurs est une solution efficace. Assurez-vous d'avoir à portée de main les nettoyants et chiffons nécessaires pour parer aux urgences. Trouver une solution à un tiroir ou une fenêtre qui résiste, plutôt que de les forcer, évite les complications : cessez de l'utiliser en attendant de régler le problème. Rangez les appareils brisés, qui, autrement, se transforment en traîneries.
- Éliminez la calculatrice mentale qui vous dit que tous ces pourcentages s'accumulent de façon bien douteuse. Passez plutôt à l'action.
- Éliminez l'obligation de nettoyer partout autour de la cuisinière les dépôts de gras laissés par un filtre de hotte mal

entretenu. Un tel filtre laisse filer jusqu'à 30 kg de gras par année dans les grosses maisons. Vous pouvez faciliter l'entretien et prévenir le bruit désagréable de la hotte – le motif principal de sa non-utilisation – en choisissant une hotte adéquate. Les filtres des systèmes de chauffage et de filtration d'air requièrent le même entretien. Consultez le *Protégez-vous* de juillet 2003 pour choisir une marque.

- Éliminez 50 % du temps que vous accordez au rangement : ranger tout de suite ce que vous venez d'utiliser exige en réalité deux fois moins d'efforts que de le déposer n'importe où. Chaque geste maintient ainsi l'ordre au lieu de nécessiter du travail d'entretien. Rangez le reste à la fin de chaque journée. De même, nettoyer immédiatement les dégâts évitera qu'ils coulent, pénètrent, s'incrustent, se sédimentent et requièrent des nettoyants puissants.
- Éliminez 90 % de votre sentiment d'impuissance face à l'entretien : réglez tout de suite un problème d'entretien ou d'organisation en suspens depuis des lustres. C'est parti !
- Éliminez le repassage des vêtements qui en requièrent peu en terminant le séchage sur des cintres et sortez les vêtements du sèche-linge avant que le séchage ne soit complètement terminé plutôt que de les laisser refroidir dans le fond de la sécheuse. Pliez-les avec soin ou suspendez-les. Placez les poches bien en place. Recherchez les vêtements et le style de vêtements qui n'exigent pas de repassage.
- Éliminez la majeure partie de l'entretien des parois de la douche (dépôts savonneux, saleté et moisissures) en laissant une raclette à portée de main pour éliminer l'eau des parois après chaque douche. Un rideau tassé dans un coin après utilisation ne sèche pas et développe odeurs et moisissures, déployez-le toujours.
- Éliminez les complications : comme le démontraient des tests effectués par *Consumer Reports*, de nombreux dégâts sur les surfaces se nettoient simplement à l'eau si on agit

sans attendre. Sont ainsi éliminées une grande part des raisons d'utiliser les nettoyants aussi toxiques que puissants.

- Éliminez l'entretien des appareils qui ne servent pas en les couvrant et en les rangeant. Éliminez les taches d'eau grâce à des sous-plats enduits de scellant placés sous les pots de vos plantes. Éliminez les éraflures avec des protecteurs autoadhésifs sous les pattes des chaises et des meubles.
- Éliminez la moitié de l'entretien répétitif des comptoirs d'évier en fixant au mur attenant des organisateurs pour évier tels que tablettes, paniers, supports et crochets en broche sur lesquels tout déposer et accrocher, la broche laissant sécher les articles et s'écouler la saleté sur les comptoirs, saleté qu'il suffit d'enlever d'un coup d'éponge.
- Éliminez le gâchis des bottes d'hiver avec un range-bottes hors-sol à tubes, qui retient peu la saleté contrairement aux languettes plates, saleté qu'il suffit d'enlever avec un balai et une vadrouille humide, sur un plancher facile d'entretien ou protégé avec un enduit contre le sel. Accroché au mur, le range-bottes facilite encore plus le nettoyage du plancher. Finie la corvée de tout déplacer pour nettoyer. Des rangements verticaux qui s'accrochent dans les placards permettent de ranger gants, mitaines, tuques et autres objets. Des patères en nombre suffisant permettent d'accrocher écharpes et chapeaux.
- Éliminez une bonne part du récurage des aliments collés au fond des casseroles en y faisant bouillir de l'eau additionnée d'un petit jet de savon à vaisselle le temps que la nourriture décolle ; on peut aussi couvrir le fond d'eau chaude avec de 15 à 30 ml (1 ou 2 c. à soupe) de bicarbonate de soude et laisser tremper.
- Éliminez la corvée de repeindre les murs fréquemment en les lavant ou en les faisant laver.

Favorisez ces produits et gestes simples

Réduire le nombre de nettoyants ménagers utilisés est souhaitable et les procédés suggérés ici vont dans ce sens. Un peu d'eau et de savon est réputé pouvoir régler une majorité de problèmes, mais cela pour autant qu'ils ne sont pas laissés à sécher et à s'incruster. Par exemple, un simple linge humide, un linge à épousseter ou mieux encore une époussette en laine d'agneau rendent inutile l'utilisation des ramasse-poussière en pulvérisateur, toujours enrichis de parfums synthétiques qu'il est préférable d'éviter.

De même, les problèmes de prolifération d'insectes sont souvent une question de prévention. Avant d'acheter des insecticides, assurez-vous que les fentes au sol et sur les murs sont soigneusement colmatées. En cas de prolifération, commencez par éliminer ce qui attire les insectes, comme l'humidité sous les éviers et les restants de nourriture sur les planchers et les comptoirs.

Les critères de précaution peuvent être très complexes, comme on peut le constater sur le site Internet du programme de certification Choix environnemental (www.environmentalchoice.com). Ce logo offre au consommateur la garantie qu'il achète un produit contenant des substances réputées ne pas causer de tort à l'environnement ni à la santé.

Les critères de certification des nettoyants incluent des critères d'efficacité minimale. De plus, les produits doivent être fabriqués à l'aide de procédés qui requièrent moins d'énergie et de ressources renouvelables. Par exemple, une bonne part des savons à mains sont faits à base de gras animal, alors qu'il est aisé d'en fabriquer à base de gras végétal, moins énergivore.

Voici les quelques marques certifiées disponibles sur le marché. N'hésitez pas à contacter le service à la clientèle de vos marques actuelles pour manifester clairement votre volonté d'utiliser des produits certifiés.

Les marques de papier hygiénique, d'essuie-tout et de papier mouchoir certifiées ou dont l'achat est encouragé par Greenpeace sont les suivantes.

Papier hygiénique Certifiés Choix environnemental : Produit Vert, Le Choix du président chez Loblaws, Provigo, Maxi Recommandés par Greenpeace : Cascades, Doucelle, North River, Décor, New Horizon, Econochoix, Sélection Mérite, Super C, Seventh Generation, Earth Friendly products
Essuie-tout Certifiés Choix environnemental : Produit Vert, Le Choix du président chez Loblaws, Provigo, Maxi Recommandés par Greenpeace : Cascades, Doucelle, North River, Décor, New Horizon, Econochoix, Sélection Mérite, Super C, Seventh Generation, Earth Friendly products
Papier mouchoir Certifiés Choix environnemental : April Soft, Fiesta, Whisper, Atlantic Recommandés par Greenpeace : Cascades, North River, New Horizon, Seventh Generation
Serviettes de table Recommandées par Greenpeace : Décor, New Horizon, North River, Perkins, Econochoix, Sélection Mérite, Super C, Seventh Generation

Le détergent à lessive en poudre de la marque Nature Clean est le seul certifié Choix environnemental ; il est disponible dans les Loblaws, Provigo, Maxi et les magasins de produits naturels. Il est jugé efficace par de nombreux usagers et est vendu à un prix raisonnable. Ce qui est beaucoup, pour un produit d'usage aussi courant.

Les produits nettoyants de la nouvelle marque Bioasis sont en voie de certification, selon les dires du fabricant. Disponibles chez Métro, ils sont plus chers.

Les sacs à ordures Produit Vert de Loblaws/Provigo sont certifiés Choix environnemental, mais pas toujours disponibles. Il faut les demander. Ils sont un peu plus chers. Les commerces de produits naturels en offrent en matériau recyclé à prix économique, mais ils ne sont pas certifiés. À cause de contraintes technologiques, ce sont les sacs en résine de maïs déjà utilisés en Europe qu'il faudrait retrouver ici le plus tôt possible. On en trouve déjà dans certains commerces d'aliments naturels, de même que les sacs pour transporter les emplettes. Il faut les demander, même s'ils coûtent quelques sous de plu,s qui ne font guère de différence sur notre facture finale.

Fabriquer ses propres solutions nettoyantes à la maison.

Nettoyant à vitres : versez de l'eau gazéifiée dans une bouteille munie d'un pulvérisateur. Léger pouvoir nettoyant alcalin, suffisant pour la majorité des tâches.

Nettoyant à plancher : une chaudière d'eau additionnée de 60 ml ($^{1}/_{4}$ t) de vinaigre blanc pour un léger surcroît de pouvoir nettoyant, l'important étant d'utiliser une eau propre et de ne pas laisser d'eau après avoir lavé. Aucune odeur résiduelle, garanti !

Ramasse-poussière : utilisez un linge humide ou une époussette en laine d'agneau et vous n'aurez pas besoin d'un nettoyant en vaporisateur, qui laisse un mince film gras sur le meuble, ce qui attire la poussière.

Chasse-tache : pour plus de 90 % des dégâts sur les vêtements, un jet de détergent à linge liquide portant la mention « Efficace contre les taches », et que l'on fait pénétrer en frottant avec une petite brosse à poils soyeux laissée à portée de la main, est en général plus efficace que n'importe quel chasse-tache en pulvérisateur, tous déconseillés par les analyses d'efficacité.

Détachant pour surfaces : facile à trouver, l'alcool à friction (isopropylique, 70 %) est un bon compromis pour éliminer de nombreuses taches sur diverses surfaces. Frotter et laisser reposer au besoin pour plus d'efficacité. L'alcool à friction est de loin préférable à des détachants à base de solvants toxiques.

Nettoyant à tuyaux : mélangez du bicarbonate de soude et du vinaigre dans un contenant d'au moins 500 ml (2 t) et versez 125 ml (1/2 t) de bicarbonate de soude, 125 ml (1/2 t) de sel et 180 ml (3/4 t) d'eau tiède, puis délayez. Versez tout le mélange dans le tuyau de renvoi. Attendre une minute pour que le mélange se dépose sur les saletés. Versez ensuite 60 ml (1/4 t) de vinaigre blanc, une réaction se produira et l'eau bouillonnera au contact du bicarbonate.

Laissez agir quinze minutes, puis versez une pleine bouilloire d'eau chaude en vous protégeant des éclaboussures. Pour un entretien préventif, laissez reposer la solution toute la nuit et faire couler le robinet pendant environ une minute, le lendemain matin.

Nettoyant à cuvette : ce produit peut être remplacé par un nettoyant à salle de bains pulvérisé sur la brosse pour rejoindre le dessous du rebord. L'eau de Javel n'est pas nécessaire. Si vous utilisez de l'eau de Javel, nettoyez d'abord la cuvette avec le nettoyant, tirer la chasse, puis ne versez que 10 ml d'eau de Javel dans la cuvette – vraiment pas plus. Brossez les parois et laisser reposer cinq minutes avant de tirer la chasse à nouveau.

Chasse-odeurs : évitez les rafraîchisseurs d'air en pulvérisateur, de même que les diffuseurs de parfum électriques. Les produits à base d'huiles essentielles naturelles sont sécuritaires, à condition de ne pas être en aérosol, de même que les diffuseurs avec herbes et fleurs séchées en sachets. Des boules d'ouate enduites de quelques gouttes d'une huile essentielle de votre choix (lavande, eucalyptus, menthe poivrée) permettent de rafraîchir l'odeur de la maison en toute sécurité.

Pour absorber les odeurs dans les endroits fermés tels que le réfrigérateur et les placards, le bicarbonate de soude fait des merveilles, à coût minime. Du café frais moulu dissipera aussi les odeurs fortes dans le frigo.

Dans une pièce, un simple bol avec du vinaigre chaud que l'on laisse s'évaporer aidera à résorber une odeur forte comme celle de la fumée. Un petit bol de vinaigre à côté de l'endroit où l'on fait de la friture aide aussi à dissiper les émanations.

Faire bouillir quelques tranches de citron éliminera les odeurs de nourriture brûlée.

Nettoyant à four : commencez par tapisser le fond de votre four d'une plaque en aluminium protectrice recyclable. Une eau savonneuse suffira alors pour les côtés et les grilles et, au besoin, un peu de bicarbonate de soude sur une éponge sert de récurant doux et évite le recours à la laine d'acier, qui érafle les parois. Des parois éraflées et poreuses retiennent davantage la saleté et sont plus difficiles à nettoyer.

Voici des marques non certifiées de produits d'entretien qui méritent d'être préférées à d'autres parce qu'elles contiennent moins de substances douteuses.

Assouplissant en feuilles : le Bounce Nature (Free), l'assouplissant en feuilles Sans nom Ultra de Provigo, les assouplissants de Loblaws et Life (vendu chez Pharmaprix) ne contiennent pas de parfums synthétiques ni de colorants.

Assouplissant liquide : Nature Clean fabrique un assouplissant sans colorants ni parfums synthétiques. Tous les autres assouplissants liquides en vente sur le marché québécois contiennent de grandes quantités de ces parfums synthétiques qu'il est important d'éviter, même si on a pris l'habitude, à tort, de les associer à la propreté et à la fraîcheur. Par ailleurs, en 2002, un rapport du coroner reliait un décès par brûlures (le deuxième au Québec) à l'utilisation d'un assouplissant liquide, le vêtement d'une femme ayant pris feu alors qu'elle faisait à manger devant la cuisinière. Le rapport souligne que l'utilisation d'assouplisseurs peut contribuer à la propagation des flammes à certains tissus. Santé Canada effectue présentement une étude sur les assouplissants liquides pour déterminer les risques qu'ils représentent.

Additif au détergent à linge : ces produits permettent d'éliminer ou de limiter l'utilisation d'eau de Javel. La marque Arm & Hammer (Si net, Super cristaux à lessive), sans parfums ni colorants, assure tout le pouvoir blanchissant nécessaire comme substitut sain à l'eau de Javel. En vente dans la plupart des supermarchés, au rayon des détergents à linge. Si votre eau est très dure, un résidu des cristaux de soude peut apparaître sur les vêtements. Dans ce cas, remplacez la soude par du borax. La soude a besoin d'eau chaude pour se dissoudre, mais elle remplace efficacement l'eau de Javel pour laver la literie, qui gagne à être lavée à l'eau chaude.

Utiliser des cristaux de soude à laver permet de couper de moitié la quantité de détergent recommandée, qui est basée sur une moyenne. Il n'y aura pas d'impact sur l'efficacité du lavage si l'eau est normale. Dans le cas des petites brassées, on peut diminuer la quantité de détergent requise de plus de la moitié. Pour compenser la diminution de détergent, ajouter au besoin entre 75 ml (1/3 t) et 125 ml (1/2 t) de cristaux de soude par brassée. Si vous lavez à l'eau froide, assurez-vous de dissoudre la soude dans une eau bien chaude avant de l'intégrer à l'eau de lavage. Laissez la laveuse agiter l'eau additionnée du détergent et de la soude durant une minute avant d'ajouter les articles à laver. On s'assure ainsi d'obtenir le pouvoir maximal de nos agents nettoyants, tout en prévenant les taches de résidus sur les tissus.

Quelques essais seront sans doute nécessaires, la quantité de lessive requise dépendant de la dureté de l'eau. Au besoin, ajoutez un peu de détergent. En diminuant la quantité de détergent utilisé, vous réduirez les résidus de détergent sur les vêtements.

Détergent à linge: il est préférable de choisir un détergent à linge sans parfums ni colorants et qui porte la mention « Efficace contre les taches ». Le détergent à linge avec action enzymatique, sans colorants et parfums ni phosphate Le choix du Président de Loblaws/Provigo constitue un bon choix.

Savon à mains : préférez les savons à mains sans colorants ni parfums synthétiques, de même que sans additifs antibactériens (totalement inutiles et déconseillés par tous les experts parce que susceptibles de contribuer au renforcement des bactéries réellement nocives). À proscrire.

Détergent à vaisselle : choisissez un détergent sans colorants, sans parfums, non additionné d'un agent blanchisseur ou javellisant, et qui ne contient pas de phosphate (toutes les grandes marques en contiennent beaucoup). Le Calgolite est un compromis abordable. En l'absence d'un détergent plus sécuritaire, il est possible de diminuer la quantité utilisée : les quantités diminuées de moitié ne changeaient pas significativement le résultat lors de tests. Augmentez ensuite au besoin.

Harcelez les gérants de vos commerces préférés pour qu'ils rendent disponibles les produits que vous souhaitez utiliser : ils adorent ça ! Comme les fabricants, ils ont besoin d'entendre vos revendications pour agir. La précaution est bel et bien une révolution, et ce n'est pas tous les jours qu'on a la chance d'être aux premières loges.

Dépoussiérez

Intéressant...

Les principaux composés naturels nuisibles de la poussière domestique sont les moisissures, les mites de poussière et les rejets minéraux. En tout, 45 % des logis américains auraient une concentration de mites de poussière (acariens) suffisante pour favoriser l'apparition d'allergies. Par ailleurs, 50 % des logis présentent des comptes de spores de moisissures 10 fois plus élevés que le taux normal. Les moisissures se développent dans des milieux riches en poussières naturelles (squames humaines et animales, résidus végétaux) et sont reliées à la hausse de sinusites chroniques.

Les rejets minéraux d'un humidificateur dans la poussière des logis peuvent aller jusqu'à excéder les normes américaines pour l'air extérieur lorsque l'eau courante est hautement minéralisée. On le constate visuellement lorsque apparaît une légère poussière blanchâtre sur le mobilier.

On contrôle les micro-organismes que peuvent relâcher les humidificateurs en nettoyant à fond les réservoirs.

On contrôle les moisissures en nettoyant les dégâts d'eau et en déshumidifiant les espaces démontrant un taux d'humidité supérieur à 50 %.

Et on contrôle enfin les mites de poussière reliées à l'asthme et aux allergies en les privant des moisissures et des squames de peau grâce au passage régulier de l'aspirateur, central ou au moins certifié CRI, tel que décrit ci-dessous.

La poussière entre dans nos logis en bonne partie sur nos chaussures et vient ainsi s'ajouter à la pollution intérieure. Par exemple, la majorité des terrains de résidences, de parcs et de jeux, dans les quartiers maintenant âgés de plus de cinquante ans, ont jusqu'à cinquante fois la limite jugée sécuritaire de ce polluant très toxique qu'est le plomb. Ce plomb est issu des anciennes peintures et de l'essence au plomb aujourd'hui interdite.

Reconnaître que la poussière fine et toxique qui aboutit dans nos logis contribue directement à l'augmentation de notre contamination chimique corporelle implique des ajustements quant aux gestes simples entourant son élimination.

Par exemple, passer le balai dans un logis s'est avéré l'un des gestes qui soulève le plus la poussière dans l'air, là où nos poumons se retrouvent à l'inspirer à plein régime. La vadrouille sèche est aussi déconseillée parce que, comme le balai, elle ne fait pas beaucoup plus que déplacer la poussière. Si on les utilise tout de même, aérer l'espace en même temps.

Par ailleurs, passer l'aspirateur peut ne pas être avantageux du tout, puisque deux tiers des aspirateurs sont incapables de retenir les poussières fines, qu'ils ne font que propulser dans l'air ambiant.

La meilleure solution est un aspirateur central doté d'un système d'évacuation extérieur. Il est tout de même possible, et parfois nécessaire, de recourir à un aspirateur certifié CRI – voir la liste des marques certifiées au www.carpet-rug.com. Cette norme assure que l'aspirateur émet moins des deux tiers de la limite fixée par l'Environmental Protection Agency américaine pour la poussière extérieure.

La norme CRI ne protège pas contre les poussières très fines de moins de 2,5 microns, celles qui sont jugées les plus nocives parce qu'elles incluent les polluants chimiques. Elle donne tout de même l'assurance que l'aspirateur peut retenir les poussières un peu moins fines, en particulier les allergènes naturels comme le pollen, de même que les squames de peau qui alimentent les mites de poussière (acariens).

Le passage normal de l'aspirateur n'enlève pas la poussière profonde des tapis, comme l'explique John Roberts, expert sur ces questions. Le seul résultat que l'on risque d'obtenir avec un passage rapide de l'aspirateur est d'amener la poussière domestique profonde et ses composés toxiques à la surface – là où un enfant à quatre pattes les ramassera. La qualité de l'aspirateur n'y peut rien, c'est la présence même du tapis qui est en cause et que le principe de précaution conseille de limiter, autant que faire se peut.

Aérer la maison durant le passage d'un aspirateur certifié CRI et jusqu'à dix minutes après, suivant la recommandation d'aération usuelle de la Direction de la santé publique du Québec, aidera à évacuer les poussières de moins de 2,5 microns, qui contiennent la plupart des polluants chimiques.

À défaut de posséder un aspirateur certifié CRI, les personnes disposées aux allergies peuvent se protéger en passant l'aspirateur, comme elles le font déjà, en portant de petits masques jetables vendus en pharmacie. Ils retiennent les poussières naturelles comme le pollen et les squames de peau et peuvent parfois procurer un soulagement significatif. Il ne serait possible de se protéger des poussières de moins de 2,5 microns qu'en portant l'un de ces masques professionnels vendus de 40 à 50 dollars en quincaillerie, masque qui conviendra tout au plus aux personnes affectées d'hypersensibilité aux substances chimiques.

Les sacs réutilisables pour les aspirateurs présentent le désavantage significatif de libérer de la poussière lorsqu'on les vide. Videz les sacs sans attendre qu'ils soient pleins et évitez de les vider à l'intérieur du logis. Une dizaine de gouttes d'huile essentielle au choix versées sur l'extérieur du sac embaumeront l'espace au moment d'actionner l'aspirateur, ainsi devenu diffuseur.

En plus de nuire à la santé, la poussière forme un écran qui retient la chaleur. Elle accélère ainsi la détérioration des appareils électroniques et diminue l'efficacité des unités de chauffage. La poussière endommage aussi les tapis quand elle s'incruste et devient ainsi un broyeur entre les fibres. Elle érafle les planchers durs, les rend ternes et poreux.

Passer l'aspirateur une fois par semaine sur les matelas, les oreillers, les tapis, les fauteuils, les appareils électroniques et les unités de chauffage permet de contrôler les problèmes de santé et de détérioration.

La petite buse à poils de l'aspirateur permet de déloger la poussière infiltrée dans les interstices des claviers, les boutons et les sorties d'aération des appareils électroniques. Le changement des draps et taies d'oreillers est le meilleur temps pour passer l'aspirateur. Mettre les oreillers au sèche-linge à température douce ou ambiante durant dix minutes donne aussi de bons résultats.

La nouvelle poussière s'accroche à l'ancienne et s'accumule de plus en plus vite. La ramasser avec régularité diminue la tâche.

Selon la SCHL, les acariens ont besoin d'un taux d'humidité supérieur à 55 % pour se reproduire. Abaisser le taux d'humidité de la maison est donc selon la SCHL un moyen efficace pour enrayer leur prolifération.

Les personnes plus sensibles peuvent avoir besoin de housses de protection efficaces pour matelas, sommiers et oreillers. Il en existe certaines en coton-polyester à tissage ultrafin – dont les trous ont un diamètre inférieur à 6 microns, ce qui bloque la poussière. Il ne s'agit pas ici des tissus en microfibres. Matelas et oreillers en latex sont aussi efficaces, mais ils sont plus onéreux. Les recouvrements de canapés en tissu ordinaire laissent pénétrer poussière, squames de peau et acariens. Il n'existe malheureusement pas encore de recouvrements à tissage ultrafin. Nous devons les demander pour faire bouger l'industrie.

À titre préventif, il est préférable d'acheter des couvre-lits et des oreillers qui peuvent être lavés régulièrement. Lavez les oreillers une fois l'an, ou faites-les laver dans une buanderie ou chez le teinturier, parce qu'un lave-linge à chargement frontal est beaucoup plus efficace. Remplacez-les tous les deux ou trois ans.

Évitez aussi les rideaux trop lourds, qui accumulent la poussière. Réduisez la surface de tapis dans le logis, et maintenez le taux d'humidité entre 30 et 50 %. Couvrez la place préférée de Toutou avec un tissu qui sera lavé à l'eau très chaude chaque semaine, en même temps que la literie. Idéalement, chaque mois, glissez dans un sac de plastique les jouets en peluche et placez-les au congélateur – ou dehors, au gel – durant toute une nuit. On peut aussi les laver à l'eau très chaude.

Aérez

Les chasse-odeurs et rafraîchisseurs commerciaux ne font que masquer les polluants nocifs dans l'air, en plus d'ajouter un parfum synthétique et un désensibilisant nasal, qui sont nocifs.

La Direction de la santé publique du Québec recommande fortement d'ouvrir les fenêtres tous les jours, même en hiver, durant au moins dix minutes, et idéalement deux fois par jour, pour assurer un bon échange d'air. Il faut alors baisser le chauffage. Le coût en chauffage serait compensé par les économies en malaises.

Les moisissures nous importunent par les spores qu'elles émettent dans l'air, et non par la tache dans le coin du mur ou sur le rideau de douche. Aérer la salle de bains après usage est le moyen le plus simple de contrôler le principal foyer de prolifération des moisissures. Séchez, puis réparez et nettoyez sans tarder toute zone ayant connu un dégât d'eau – murs, plafonds, sous-sol.

Le saviez-vous ?

Selon la très sérieuse Environmental Protection Agency, la pollution de l'air à l'intérieur de nos logis est l'un des principaux motifs d'inquiétude pour la santé.

Le saviez-vous ? (suite)

Selon Santé publique Québec, les chauffages à l'huile et au bois seraient parmi les principales sources de contamination de l'air dans les foyers. S'ajoutent les produits en aérosol et les recouvrements de vinyle ainsi que la colle contenant du formaldéhyde (de moins en moins utilisée) servant à fixer les planchers de bois ou entrant dans la fabrication des panneaux d'aggloméré et de mélamine.

Plusieurs études relient des problèmes de santé tels que maux de tête, démangeaisons, écoulements nasaux, allergies et asthme à la pollution de l'air intérieur. L'incidence de l'asthme a presque doublé ces dernières années chez les moins de dix-huit ans. Les gens qui, pour cause d'allergies, éliminent tous les produits irritants de leur environnement domestique se débarrassent aussi de ces petits maux devenus si ordinaires qu'ils passent presque inaperçus.

Gardez propres les éponges, torchons et serviettes

L'univers est peuplé de micro-organismes qui font le délice des paranoïaques et le malheur des vraies victimes laissées dans l'ignorance.

Intéressant...

Les éponges et les chiffons utilisés dans la cuisine sont souvent les deux articles les plus contaminés du logis. La serviette à main de la cuisine est réputée contenir plus de coliformes fécaux que celle de la salle de bains – déjà bien garnie – parce qu'on s'y lave plus souvent les mains.

Désinfectez les éponges à récurer en nylon en les mettant au lave-vaisselle ou au four à micro-ondes durant trente secondes, un jour sur deux. Les jeter chaque mois ou lorsqu'elles deviennent malodorantes.

Remplacez chaque jour, au besoin, les chiffons de l'évier de cuisine, qui tendent à être encore plus contaminés que les éponges. Mouiller un chiffon et le laisser au four à micro-ondes durant une minute le désinfectera. Mieux, la vapeur aura aidé à décoller la saleté à l'intérieur du micro-ondes, qu'il suffit ensuite d'essuyer avec le chiffon désinfecté. Mais attention, secouez le chiffon avant de l'utiliser pour ne pas vous brûler.

Remplacez aussi les serviettes à main de la cuisine et de la salle de bains chaque jour, selon le nombre d'occupants.

Désinfectez, mais pas tout

Afin de contrôler la prolifération des moisissures et champignons dans la douche et la baignoire, évitez les tapis antidérapants, qui sèchent mal et qui favorisent le développement de micro-organismes.

Environ 90 % des maladies contagieuses se propagent par les mains. Se laver les mains de dix-sept à vingt secondes, à l'eau chaude et savonneuse, est à la fois nécessaire et suffisant pour éliminer les bactéries porteuses de maladies. Les savons à mains et nettoyants dits antibactériens ne sont d'aucune utilité contre ce qui nous rend malades. Ils sont même jugés nuisibles par les experts, un peu comme le sont les antibiotiques utilisés sans raison. Évitez-les.

Dans une maison, les seules surfaces qui devraient être désinfectées sont celles qui sont entrées en contact avec des viandes ou du poisson. Dans la salle de bains, un bon nettoyage suffit.

Désinfecter est une opération en deux étapes. Elle consiste à nettoyer puis à appliquer une lotion désinfectante. Les nettoyants et désinfectants en une seule étape sont inutilement puissants et toxiques, en plus de ne pas assurer la désinfection.

Transférez directement les viandes de leur emballage au contenant de cuisson. Épongez le jus des viandes avec du papier essuie-tout et jeter aussitôt leurs emballages. Désinfectez les articles qui ont été en contact avec la viande en les plaçant au lave-vaisselle avant de les utiliser à nouveau. Une planche de travail plus petite et réservée à la viande présente l'avantage de pouvoir être placée au lave-vaisselle après usage.

Seuls les produits portant une mention de leur capacité à éliminer la salmonelle peuvent être qualifiés de désinfectants. La grande majorité des nettoyants dits naturels ne le peuvent pas. Le lave-vaisselle a la propriété de stériliser ce que l'on y met à cause de son eau surchauffée.

Simplifiez la lessive

Choisir un bon détergent permet d'enlever 90 % de la saleté et des taches (voir les suggestions de marques à la rubrique « Favorisez ces produits »). Préférez toujours les détergents sans parfums et sans colorants, et placez toujours les vêtements après que le détergent s'est bien mélangé à l'eau. L'eau froide diminue l'efficacité de tous les détergents.

Gratter et éponger immédiatement les dégâts (à sec sur les tissus délicats) est indispensable. Lavez sans tarder en frottant avec un peu de détergent sur les dégâts plus importants. Utilisez un détergent doux au pH équilibré sur la soie et la laine. Au besoin, la glycérine relâche les taches anciennes sur ces tissus avant de les traiter et de les laver. Ne chauffez jamais une tache au sèche-linge ou au fer à repasser ; nettoyez-la avant. Utilisez de l'eau froide pour les taches sucrées.

Certains experts suggèrent de diminuer presque de moitié la quantité de détergent indiquée par la marque, car il en reste toujours trop sur les vêtements après le lavage, en plus de la saleté qu'il est supposé déloger.

Après avoir diminué la quantité de détergent, utilisez au besoin des cristaux de soude (Arm & Hammer, Si net). C'est un additif économique doté de tout le pouvoir nettoyant complémentaire requis.

Ne lavez plus sans filets à fermeture éclair, faciles à trouver même dans les magasins à 1 dollar. On peut y insérer les chaussettes pour ne plus les égarer. Selon la grosseur du filet, on peut aussi y déposer les bas de nylon et autres articles longs pour qu'ils ne s'emmêlent pas, et de nombreux vêtements délicats afin de les laver sans les abîmer.

Évitez le recours à l'eau de Javel (chlore ou blanchisseur javellisant), qui abîme les tissus, qui cause parfois des démangeaisons et qui s'associe à d'autres produits des eaux usées pour former des substances à risque. Tout le pouvoir nettoyant nécessaire est contenu dans le bon détergent, additionné au besoin de cristaux de soude : l'eau chaude suffit pour éliminer les odeurs des serviettes.

Sortez les vêtements de la sécheuse dès la fin du cycle pour limiter la nécessité de repasser. Laissez les vêtements qui ne requièrent que peu ou pas de repassage finir de sécher sur des cintres. Privilégiez ce genre de vêtements au moment de l'achat. Limitez le repassage à ce qui le requiert absolument. Et cessez de gaspiller argent et énergie en utilisant des appareils mal entretenus.

Limitez le recours au nettoyage à sec. Demandez au teinturier de laver à l'eau ce qui peut l'être. Faites aérer les vêtements qui en reviennent durant toute une nuit pour éliminer l'odeur du nettoyant – le perchloréthylène – dans le tissu. Il est utile de savoir que plus l'odeur est forte chez le teinturier, moins ses machines sont récentes, et que seules les machines qui datent de moins d'une dizaine d'années peuvent récupérer la presque totalité de ce nettoyant toxique. Il existe aux États-Unis de nouveaux procédés à l'eau avec détergents spéciaux et au CO_2 approuvés par la Environmental Protection Agency. Dites à votre teinturier que vous aimeriez que l'un d'eux vous soit offert. Ne tardez pas à porter les vêtements tachés au teinturier et précisez où se trouvent les dégâts.

Le principe de précaution incite à éviter les ensembles de nettoyage à sec maison, les sèche-linge n'étant pas conçus pour nous protéger des solvants qu'ils contiennent. Il est possible de laver facilement à la maison de nombreux articles délicats censés requérir un nettoyage à sec, en suivant quelques consignes qui seraient trop longues à énumérer ici.

Planchers vite faits

Ajouter 125 ml (1/2 t) de vinaigre blanc – parfumé à l'huile essentielle naturelle, si le cœur vous en dit – à un seau d'eau suffit pour laver la majorité des planchers (sauf les planchers cirés). Le vinaigre augmente légèrement le pouvoir nettoyant de l'eau, ce qui suffit la plupart du temps.

Évitez les nettoyants domestiques à plancher ou tout usage. Ils laissent sur le plancher une pellicule savonneuse qui attire la saleté. Cette pellicule doit alors être rincée avec le mélange d'eau et de vinaigre. Seul un plancher particulièrement sale exige le recours à des nettoyants. Les planchers vernis n'ont pas besoin de cire ni de produits commerciaux compliqués.

Nettoyez les traces de chaussures avec un peu de bicarbonate de soude sur un chiffon mouillé ou une éponge à récurer. Aspirez avant de laver et essorez la vadrouille après l'avoir trempée, pour ne pas noyer les planchers de bois. Répandre directement sur le plancher le nettoyant placé dans un contenant à pulvérisateur en mode gicleur permet de n'utiliser qu'un seul seau, servant à rincer la vadrouille. Autrement, un bon nettoyage requiert un contenant pour le nettoyant et un autre pour rincer la vadrouille. Ce sont les résidus d'une eau sale qui font toute la différence sur l'éclat d'un plancher fraîchement lavé. Essuyer en dernier, avec la vadrouille rincée et bien essorée, élimine les traces d'eau plus apparentes sur un plancher verni.

L'extérieur de la maison d'un coup

La petite merveille qu'est le compresseur à eau permet de tout nettoyer, ou presque, sans nettoyants nocifs et rapidement. Et il ne gaspille pas d'eau inutilement.

Il se loue, s'emprunte ou s'achète. Ce qu'il peut nettoyer inclut les façades de brique et autres, le patio, les meubles de jardin, les fenêtres et moustiquaires, l'entrée de cour et même l'automobile. Une merveille. Voilà une bonne façon de nettoyer les moustiquaires, mais reconnaissons que les fenêtres ont besoin d'un nettoyage plus soigné, à moins de les assécher à la raclette.

Le bouquet

Parfumez votre logis avec des boules d'ouate enduites de quelques gouttes d'une huile essentielle de votre choix : lavande, eucalyptus, menthe, citron, etc. Versez une goutte de l'huile sur une ampoule chaude (non allogène) à l'heure de la détente, ou juste avant l'arrivée de Don Juan ou d'Esméralda. Une dizaine de gouttes d'huile de lavande sur le sac de l'aspirateur, avant de le passer, en feront un diffuseur.

Mieux encore, et plus subtil, la bible de la civilité ménagère exige que le papier hygiénique soit disposé de manière que le bout excédentaire pende du côté de l'utilisateur, plutôt que vers l'arrière du rouleau. Un concept apparemment difficile à assimiler pour plusieurs.

Chapitre 5

RÉNOVATIONS DE LA MAISON

« On peut choisir de vivre dans une maison plus saine, moins toxique et moins allergène. »

David Suzuki

Une foule de rénovations prioritaires, petites et grandes, peuvent contribuer à nous donner un milieu de vie plus sain, qui présente entre autres l'avantage de nous protéger de ces multiples désagréments de santé devant lesquels nous nous résignons.

Comme on peut le lire dans des documents de la SCHL, « [le] quart de la population canadienne souffre d'asthme, d'allergies ou d'autres maladies respiratoires qui peuvent s'améliorer en effectuant quelques changements faciles et abordables à l'intérieur de l'habitation ».

Les tapis

Le principe de précaution nous invite clairement à préférer les planchers durs aux tapis, qui sont de véritables réservoirs à allergènes et à polluants chimiques.

Par ailleurs, les tapis et sous-tapis ont fait l'objet d'améliorations significatives dans le but de les rendre plus sains, mais la population ne demande pas encore clairement ces produits, par ignorance. Malheureusement, les bénéfices de ces tapis « verts » sont plutôt présentés par les fabricants comme profitant à l'environnement. Or, c'est nettement un bénéfice pour la santé qu'ils offrent, bénéfice auquel la population serait beaucoup plus sensible si elle en était informée.

L'industrie canadienne du tapis a pris l'initiative louable de développer un programme de certification pour mettre ses produits en valeur.

On peut lui reprocher avec raison de ne pas l'avoir développé en collaboration avec la tierce partie indépendante que constitue le programme de certification canadien Choix environnemental. La valeur de ce dernier est pourtant bien établie, et s'y associer éviterait l'apparition de ces multiples programmes de certification difficiles à évaluer et loin d'être toujours limpides.

La certification de l'industrie canadienne garantirait une faible émission de composés organiques volatils, les COV, respectant ainsi les standards de matériaux sains édictés par Ressources naturelles Canada, pour réduire la pollution croisée dans les résidences R-2000 (à haute efficacité énergétique) par divers produits. Les tapis non certifiés ne doivent pas couvrir plus de la moitié des planchers d'une résidence R-2000, selon ces standards, sous-sol exclu, alors qu'il n'y a pas de restrictions pour les tapis certifiés.

Il est possible de demander que les tapis soient aérés avant la livraison lorsqu'on est affecté d'hypersensibilité aux polluants. Il est estimé qu'environ la moitié des tapis sont certifiés, même s'ils ne sont pas identifiés comme tels. Il est donc important de s'informer avant d'acheter. La plupart des fabricants de sous-tapis offrent au moins un produit certifié.

Si la population commence à demander des tapis et sous-tapis certifiés plus sains pour la santé, les fabricants seront financièrement incités non seulement à afficher leur certification, mais aussi à accepter les frais que représenterait une certification indépendante par le programme Choix environnemental.

Cela étant dit, rappelons que les analyses de poussière chimique effectuées sur les tapis de résidences incitent à déconseiller la pose de tapis dans les logis.

Les canapés

Les meubles recouverts de tissu et les stores vénitiens à lames horizontales favorisent l'accumulation de la poussière. Il convient de préférer les canapés non recouverts de tissu et les stores qui accumulent moins la poussière, en plus de se nettoyer plus facilement (verticaux, asiatiques).

Les canapés

Cuir ou tissu, pour les recouvrements du canapé ? Le recouvrement en cuir et simili cuir évite l'accumulation de poussière et d'acariens, mais le recouvrement en cuir impose une charge environnementale importante. En effet, l'utilisation de peaux suppose l'élevage industriel d'animaux, qui est beaucoup plus exigeant en ressources que la culture de fibres végétales. Et le recours non indispensable au sacrifice d'animaux se justifie mal.

Le recouvrement en fibres synthétiques suppose l'utilisation de carburants fossiles, avec lesquels ils sont produits.

Un recouvrement en tissu de coton et polyester à tissage ultrafin dont le diamètre des trous n'excède pas 6 microns, comme celui qui est utilisé pour certaines housses de matelas et d'oreillers pour les asthmatiques, approcherait de l'idéal. Le microtissage est un procédé qu'il ne faut pas confondre avec les produits en microfibres, qui n'offrent pas en soi la protection contre la pénétration des acariens.

Un recouvrement en tissu d'origine végétale (coton, chanvre, lin) à tissage ultrafin répondrait à tous les critères d'une charge minimale imposée à l'environnement, jumelés à la fois à une excellente protection contre les acariens et à une capacité de respirer. À suivre.

Les feux de bois (foyers, poêles)

Le chauffage au bois et les feux d'agrément ont contribué à un épisode de smog ayant enveloppé la ville de Montréal de façon majeure durant quatre jours en février 2004 et sept jours en 2005.

En fait, les feux de bois constituent la première source de pollution de l'air à Montréal durant l'hiver, et cela devant l'industrie et les transports. Ils contribuent de façon déterminante à ces chambres à gaz à ciel ouvert que deviennent les villes sous l'effet du smog.

Les prélèvements de la Ville de Montréal démontrent que la pollution de l'air est plus élevée dans les quartiers résidentiels, le soir, qu'aux abords des échangeurs routiers. La combustion du bois produit des particules fines qui s'infiltrent profondément dans les poumons, en plus des polluants dont la toxicité est reconnue.

Le coupable a été démasqué et la solution s'est révélée être entre nos mains. Il suffit d'utiliser les foyers et poêles répondant aux normes EPA pour que les émissions soient réduites de 90 %. Ces normes sont déjà obligatoires en Colombie-Britannique et aux États-Unis pour les nouveaux équipements.

Bonne nouvelle, les équipements certifiés EPA brûlent mieux le bois et en diminuent la consommation, compensant ainsi leur coût supérieur d'environ 300 dollars.

Les ministres de l'Environnement du Canada et des provinces ont décidé en novembre 2004 de passer à l'action et d'imposer la norme canadienne (CSA B415) équivalente à la norme EPA. Or, une complication législative au niveau fédéral ne permettrait pas à cette norme de devenir effective avant plus ou moins cinq ans. Les gouvernements provinciaux, dont celui du Québec, auraient pourtant la possibilité d'agir comme l'a déjà fait la Colombie-Britannique. Le gouvernement québécois n'en fait pas une priorité à l'heure actuelle, ce que les défenseurs du principe de précaution ne peuvent que déplorer, au vu du niveau de pollution d'une région comme celle de Montréal en hiver.

C'est à la population qu'il appartient de prendre l'initiative de passer à l'action dès aujourd'hui. Et notez dès maintenant que les équipements non conformes perdront de leur valeur lors de l'entrée en vigueur de la nouvelle norme. La Fondation québécoise en environnement rappelle quelques consignes classiques importantes.

Les consignes pour les feux de bois de la Fondation québécoise en environnement

Le foyer ou le poêle à bois ne filtrent pas les émanations s'échappant de l'âtre. Évitez de les utiliser comme d'un incinérateur. La combustion des déchets domestiques est à proscrire, surtout ceux qui contiennent du plastique, des teintures ou du métal. La combustion de bois traités ou peints génère des polluants toxiques comme les dioxines et les furannes. Il est donc recommandé de mettre aux ordures vos restes de bois traités ou peints plutôt que de les brûler.

Toute combustion de bois génère des HAP, des polluants cancérogènes. Ainsi, utilisez des essences comme le chêne, l'érable ou le hêtre, qui permettent de tirer le maximum de chaleur en brûlant un minimum de bois.

Favorisez la combustion rapide et complète. Placez les morceaux de bois à l'écart les uns des autres afin d'augmenter la surface de bois en contact avec l'air. Rechargez fréquemment l'âtre avec de petites quantités de bois plutôt que de le surcharger.

Enfin, pour éliminer complètement les émissions, maintenez la température de la cheminée élevée (entre 150 et 200 °C) en assurant une entrée d'air suffisante.

Humidité : son contrôle

Une humidité excessive pose des problèmes qui ne se résolvent pas à coups de désinfectants malsains, mais quelques gestes simples suffisent à faire toute la différence. Ne tolérez aucune zone qui soit humide ou mouillée et pleine de salissures. Évitez pareillement les zones à la fois froides, non chauffées et humides.

Une humidité élevée rend un logis plus difficile à chauffer. Elle accroît les coûts et cause une dépense énergétique inutile. Elle favorise la prolifération de moisissures dans le sous-sol et la salle de bains, et celle des acariens dans les canapés, les coussins et les lits. Les spécialistes soulignent que les moisissures posent un problème qui peut s'avérer plus grave encore que celui des acariens.

Selon la SCHL, comme on l'a déjà vu, les acariens ont besoin d'humidité (un taux supérieur à 55 %) pour se reproduire. Aussi, le moyen le plus indiqué pour enrayer leur prolifération est donc d'abaisser le taux d'humidité ambiante, et non de recourir à des produits chimiques ou à des housses protectrices.

Évitez d'utiliser des humidificateurs dans les chambres. Éloignez toute eau des fondations de la maison, y compris celle qui vient des tuyaux de descente pluviale. Agissez sans attendre dès que se manifeste une fuite ou une inondation.

Nettoyez les petites zones attaquées par la moisissure (*Élimination de la moisissure dans les maisons ; Votre maison*, *Comment enrayer la moisissure*, SCHL). Recourez à des spécialistes en cas de moisissures plus abondantes. Tapis et carpettes encouragent la prolifération des moisissures aussi bien au sous-sol que dans la salle de bains.

Un déshumidificateur peut être requis au sous-sol. Déshumidifiez cette zone durant les mois les plus chauds, fenêtres fermées. Réduisez au minimum les matériaux et meubles inutiles qui s'y trouvent. N'y conservez que des articles lavables, en évitant de les déposer au sol ou de les accrocher aux murs, où peuvent se développer des zones d'humidité.

Évitez d'étendre le linge au sous-sol pour le faire sécher. Il est aussi préférable de ne pas le faire sécher à l'air libre dans la maison à cause de l'humidité évacuée qui a des répercussions sur les frais de chauffage. Si vous le faites, aérez le logis pour en abaisser le taux d'humidité. L'idéal est d'utiliser une sécheuse avec tuyau d'évacuation dirigé vers l'extérieur.

Ne pas entreposer le bois de chauffage dans la maison, à cause de l'humidité qu'il dégage.

Éliminer en priorité les sources d'humidité énumérées précédemment règle à tout le moins le cas des sources évitables d'humidité.

Il est par ailleurs possible que l'humidité des milieux sur lesquels reposent les fondations en ciment des résidences finisse par imprégner le ciment et par pénétrer à l'intérieur. Il existe à ce propos une technologie européenne d'importation récente qui peut éliminer le transfert d'humidité par le béton pour un coût d'environ 10 000 dollars. C'est considérable, mais toujours moindre que la réfection du béton.

Les matériaux et les COV

Cette odeur de neuf caractéristique de l'intérieur d'une voiture tout juste sortie de chez le concessionnaire, tout comme l'odeur de divers matériaux neufs, correspond en fait à la période initiale suivant la fabrication d'un objet et durant laquelle les polluants chimiques sont expulsés dans l'air sous forme de composés organiques volatils, les COV. À défaut de pouvoir changer les matériaux d'une auto, on gagne à laisser ses fenêtres ouvertes tant que les odeurs n'ont pas diminué, ce qui peut durer quelques mois.

À la suite de rénovations, si de pareilles odeurs se manifestent, aérez systématiquement la maison tant qu'elles ne se seront pas dissipées, et encore régulièrement par la suite, pour éliminer une part des résidus. Il semble qu'il faille jusqu'à six mois pour qu'une part majeure des COV soit expulsée des matériaux neufs.

On retrouve des COV dans les colles, les solvants, les peintures et les vernis. On sait déjà, par exemple, que les COV peuvent déclencher des crises d'asthme. Une étude récente du Asthma UK's Research Group (2004) a d'ailleurs démontré que plus les COV sont élevés, plus les jeunes enfants courent de risques de développer l'asthme. Selon cette étude, les substances les plus susceptibles de favoriser le développement de l'asthme sont le benzène, l'éthylbenzène et le toluène.

Une telle étude rappelle l'importance de limiter le recours aux produits aussi douteux que puissants. Plutôt que d'avoir à résoudre les problèmes de pollution de l'air après coup, voici des matériaux à éviter ou à préférer.

Évitez les recouvrements de plancher en vinyle (tuiles, linoléums) ; ils contiennent des plastifiants (phtalates) indésirables. Comme les tapis à endos de mousse ou de caoutchouc, ils sont susceptibles d'émettre durant des mois des composés organiques volatils (COV) – des substances toxiques à divers titres. La mousse sous les tapis et carpettes contient elle aussi, habituellement, une substance ignifuge qui contamine déjà les occupants.

Pour la première fois (Bornehag *et al.*, 2004), une étude épidémiologique a établi chez les enfants suédois qu'une hausse de deux à trois fois de l'asthme, des rhinites et de l'eczéma était reliée à la présence de phtalates dans la poussière de leurs chambres. Il existe plusieurs types de phtalates. L'un d'entre eux, le DHEP, est utilisé dans le vinyle et est relié à l'asthme et aux allergies. Ces deux problèmes de santé étaient plus fréquents dans les logis comptant des recouvrements de plancher en vinyle.

Limitez aussi la diffusion dans l'air des composés organiques volatils (COV) présents dans divers produits. Peintures, scellants et produits de calfeutrage à faible teneur en COV donnent d'aussi bons résultats, sans la pollution. Il existe des peintures, teintures et vernis certifiés Choix environnemental qui, en plus d'être à faible teneur en COV, éliminent l'utilisation de certaines substances indésirables durant la fabrication. Voir les marques suggérées au www.environmentalchoice.com. L'initiative du programme Choix environnemental a suscité une baisse en COV dans toutes les peintures offertes au Canada.

Des États états-uniens ont déjà pris le parti d'interdire les vernis pour planchers à base d'huiles et de solvants pour cause de fortes émanations de COV. Au Canada, il faut encore souvent spécifier aux professionnels notre préférence pour les vernis à l'eau. Ils coûtent jusqu'à deux fois plus cher mais ne jaunissent pas, contrairement aux vernis à l'huile. Ils peuvent être presque aussi résistants à l'usure que les vernis à l'huile (5 %), mais tous ne le sont pas. Informez-vous.

Un vernis de qualité couvre jusqu'à deux fois plus de surface qu'un produit de moindre qualité, ce qui diminue les coûts d'autant. Les vernis à l'eau ne viennent qu'en fini perlé et semi-lustré. Sachez qu'il est plus facile d'apporter des corrections avec un vernis à l'eau, tous les deux ou trois ans. Il est sans odeur, se nettoie facilement et sèche rapidement. Et notez que le bois verni en usine ternira s'il est de moindre qualité.

Le bois traité ACC (arséniate de cuivre chromaté)

Notons d'emblée que dans un avis daté du 23 mars 2004, la Société canadienne du cancer affirme que le bois traité à l'arséniate de cuivre chromaté (ACC), qui est utilisé dans la construction de structures résidentielles et récréatives (terrasses, structures de jeu, clôtures, etc.), devrait être retiré de la circulation. Ce type de bois traité contient deux agents cancérogènes connus, soit l'arsenic et le chrome.

L'avis de la société reflète les résultats d'une étude de la Commission sur la sécurité des produits de consommation (CPSC) des États-Unis (février 2003). Le risque alors constaté dépasse en effet le seuil au-delà duquel le CPSC et les autres organismes fédéraux considèrent généralement qu'il y a matière à réglementation. Voilà qui situe bien l'enjeu. Mais poursuivons donc.

À la fin d'août 2002, l'Environmental Working Group (EWG) publiait les résultats de son étude la plus exhaustive sur la pollution à l'arsenic causée par le bois traité ACC.

L'étude rappelle que c'est l'Environmental Protection Agency (EPA), en collaboration avec le Canada, qui a été responsable de l'interruption graduelle de la commercialisation du bois traité, à la fin de 2002, soit vingt ans après son arrivée sur le marché. À partir de 2004, en Amérique, les fabricants ne pouvaient plus traiter à l'ACC leur bois destiné à un usage non industriel. Le bois traité a cependant pu être vendu jusqu'à écoulement des stocks. Il est possible que des fabricants aient haussé leur production et leurs stocks de bois traité en 2003, afin de l'écouler auprès d'une clientèle non avertie à compter de 2004.

Déjà, de nombreuses poursuites judiciaires ont été intentées contre les fabricants et les détaillants américains. Les requérants demandent qu'ils décontaminent les sols et remplacent les structures à l'ACC par des structures en matériaux plus sécuritaires.

En annonçant le retrait volontaire du bois traité par l'industrie, la EPA ajoutait qu'elle ne croyait pas « qu'il existe aucune raison de retirer ou de remplacer les structures traitées à l'arsenic ».

Or, il est établi que l'arsenic cause des cancers du poumon, de la vessie et de la peau, et on soupçonne qu'il en cause d'autres aux reins, à la prostate et aux voies nasales. L'arsenic adhère aux mains des enfants et est absorbé par la peau et par les doigts portés à la bouche.

L'étude du EWG (août 2002) ajoute que les équipements traités à l'ACC âgés de sept à quinze ans continuent d'exposer leurs utilisateurs aux mêmes taux de contaminants que les équipements qui ont moins de un an. De plus, elle démontre que les taux d'arsenic dans le sol provenant de deux arrière-cours ou parcs sur cinq excèdent les limites établies par la EPA.

Par ailleurs, l'étude établit que les scellants commerciaux pour le bois perdent leur capacité de retenir l'arsenic après six mois seulement, n'offrant dès lors plus aucune protection. Le EWG offre au prix coûtant des tests à effectuer chez soi pour évaluer le taux d'arsenic expulsé par le bois traité de nos équipements (www.ewg.org).

À l'été 2003, l'ARLA (Santé Canada), conjointement avec la EPA américaine, se disait toujours en train de réévaluer les risques potentiels du bois traité à l'ACC sur la santé des enfants et l'environnement. La publication de leur étude, qui se proclamait rigoureuse pour expliquer les délais, fut reportée de l'été à la fin de l'année 2003.

Portant l'empreinte du financement politique par l'industrie, l'avis de Santé Canada à l'été 2003 était encore que le bois traité à l'ACC ne pose pas de risque « déraisonnable » pour la santé publique ou l'environnement.

Alors que l'industrie même avait jugé approprié de poser le geste majeur d'éliminer un produit hautement toxique, le bois traité à l'ACC, Santé Canada réfléchissait et ne conseillait pas d'enlever les structures existantes traitées à l'ACC. Il s'agit là d'un autre exemple de cette manière toute canadienne de professer de bonnes intentions tout en bafouant les exigences minimales de la précaution – sans compter celles de la logique.

Voilà la raison pour laquelle la solution ZéroTOXIQUE exige des gouvernements qu'ils passent de la parole aux actes. C'est une erreur que de présumer que les gouvernements font preuve de précaution dans le dossier de la révolution chimique. Un mélange d'ignorance, d'apathie, d'intérêt politique et de manque de vision engendre des glissements dont les coûts commencent tout juste à faire sentir leur pression sur le système de santé.

Comme alternatives au bois traité à l'ACC, la pruche et le cèdre non traités offrent la caractéristique de résister à la pourriture pendant des décennies. Pour cela, ils doivent être déposés hors du sol et protégés par une teinture. Par ailleurs, en 2002, l'ARLA (Santé Canada) a homologué deux nouveaux types d'agents de préservation du bois à base de cuivre et dépourvus d'arsenic et de chrome. Ce sont des agents déjà utilisés aux États-Unis.

Les produits traités avec l'un de ces agents, le cuivre alcalin quaternaire (on utilise l'acronyme anglais ACQ), ont été introduits dès l'été 2002 et représentent déjà un pourcentage élevé de la production. D'une teinte très légèrement bleutée pour l'œil averti, le bois traité à l'ACQ finit par prendre une teinte similaire à celle du bois traité à l'ACC. L'efficacité de l'ACQ serait à peine moindre (5 %) que celle de l'ACC, selon les fabricants. Grâce à la demande élevée, le coût du bois à l'ACQ n'est que de 7 à 15 % plus élevé que celui de son prédécesseur, certaines chaînes l'offrant même à un prix équivalent à celui du bois traité à l'ACC. De grandes chaînes (Home Depot, Réno-Dépôt) n'offrent plus que le bois à l'ACQ, alors que d'autres offrent les deux.

À défaut de pouvoir payer le coût de la meilleure solution à long terme, soit le remplacement des équipements de bois traité à l'ACC, l'Environmental Working Group propose les dix consignes pour le bois ACC suivantes.

Les consignes pour le bois ACC

1. Sceller le bois au moins tous les six mois avec les traitements standards pour patios.
2. Remplacer les sections à degré d'exposition élevé comme les mains courantes, les marches ou les planches de patio avec des alternatives sans arsenic.
3. Se laver les mains et laver celles des enfants après chaque contact avec le bois traité à l'ACC, particulièrement avant de manger.
4. Garder les animaux de compagnie et les enfants à l'écart des sols sous et tout à côté des équipements en bois traité à l'ACC.
5. Recouvrir les tables à pique-nique traitées à l'ACC avec une nappe à chaque usage.

Les consignes pour le bois ACC (suite)

6. Ne pas utiliser de nettoyeur à pression sur les surfaces en bois traité à l'ACC. Utiliser plutôt un mélange d'eau et de savon, avec des chiffons et autres accessoires jetables après usage. La pression pulvériserait en effet la surface de recouvrement du bois et disperserait les particules contaminées par l'arsenic dans votre cour.
7. Ne pas permettre aux enfants de jouer sur des surfaces non sablées. Les échardes de bois traité à l'ACC peuvent être dangereuses.
8. Ne jamais sabler du bois traité à l'ACC. Si le bois est assez mou pour qu'il n'y ait pas d'échardes, éviter de sabler un patio comme traitement avant la pose du scellant. Nettoyer plutôt avec un simple mélange d'eau et de savon. La poussière de bois créée par le sablage contient de l'arsenic, qui est facilement ingéré par un enfant ou qui peut se détacher de la surface pour aller contaminer le sol attenant.
9. Ne pas ranger de jouets ou d'outils sous un patio. L'arsenic sort du bois quand il pleut et peut recouvrir les objets qui y sont laissés.
10. Ne pas utiliser de « nettoyants à patio » commerciaux. Ces nettoyants peuvent transformer les substances chimiques sur le bois en substances encore plus toxiques.

Source : EWG, www.ewg.org

La Fondation québécoise en environnement ajoute d'éviter de brûler le bois traité, car sa combustion, tout comme celle du bois peint, génère des polluants toxiques comme les dioxines et les furannes. Placez plutôt ces types de bois aux ordures ou dans les centres de récupération.

Une étude encore plus récente (CPSC, février 2003) que celle du EWG (août 2002) a été publiée par la très officielle Consumer Safety Commission (CPSC) des États-Unis. Elle établit que de 2 à 100 enfants sur un million ayant mis leurs mains dans la bouche après un contact avec le bois traité à l'ACC pourraient développer un cancer à moyen ou long terme, alors que la norme maximale acceptée est de un sur un million.

À la suite de cette étude, l'Institut national de la santé publique du Québec a fait parvenir aux garderies certaines recommandations dont celle d'utiliser, pour toutes les nouvelles constructions, d'autres matériaux que le bois traité à l'ACC. On ajoute qu'il importe de restreindre l'accès des enfants aux structures traitées à l'ACC. De plus, si vous possédez un carré de sable ou un jardin délimités avec du bois à l'ACC et que vous désirez conserver la structure actuelle, il est préférable d'installer une membrane de plastique entre cette structure et le sol.

Efficacité énergétique

Aux dernières nouvelles, nous sommes des masses à connaître les moyens pour abaisser notre consommation d'énergie – ses frais et sa pollution –, mais très peu d'entre nous passent à l'action. Il y a dans cette hésitation un doute quant à l'urgence réelle d'agir, mais surtout un ras-le-bol devant l'accumulation des obligations imposées par le monde dans lequel nous vivons.

Par ailleurs, trop de gestes et d'appareils éconergétiques exigent un effort financier immédiat en échange d'éventuelles économies. Face à l'achat d'un lave-linge à chargement frontal et d'une ampoule compacte longue durée, on a la certitude de dépenser davantage maintenant, et seulement l'espoir d'économiser plus tard.

Voici un bref panorama des gestes prioritaires à notre disposition qui permettent réellement de diminuer nos dépenses et d'abaisser la pression sur la demande énergétique.

Faire effectuer un bilan énergétique de votre résidence ou appartement. Au pire il en coûte 150 dollars, qui se rembourseront en économies la même année. La plupart des ménages sont éligibles à des subventions ou des rabais ; informez-vous auprès de votre écoquartier ou de tout organisme municipal ou indépendant de votre région.

L'achat d'un appareil pour évaluer le taux d'humidité intérieur permet, à coût minime (10 dollars), de contrôler les frais de chauffage inutiles causés par un taux d'humidité supérieur à 45 %. L'hygromètre permet aussi d'apprendre à repérer les sources d'humidité, comme faire sécher le linge sur un séchoir ou cuisiner sans activer la hotte. Quand l'humidité est plus élevée, il est possible, par temps sec, d'aérer jusqu'à dix minutes par jour. Baissez le chauffage durant ce temps, au besoin. Cette mesure vaut aussi pour nettoyer l'air.

La dépense énergétique d'un logis se répartit en chauffage électrique (54 %), eau chaude (20 %), électroménagers (18 %), éclairage (5 %) et autres appareils (3 %). C'est donc 75 % des coûts qui sont reliées au chauffage et à l'eau chaude.

Les constructeurs offrent peu de maisons bâties selon la norme d'efficacité énergétique Novoclimat, parce que les gens hésitent instinctivement devant les 4 000 dollars supplémentaires qu'ils devraient débourser à l'achat d'une maison de 150 000 dollars. Or, l'Agence d'efficacité énergétique calcule que les frais d'intérêt (309 dollars) causés par cette dépense feraient épargner 574 dollars de chauffage, pour une économie totale de 265 dollars. Novoclimat n'est pas une dépense, c'est une économie !

Quant à l'eau chaude, remplacer par un chauffe-eau plus récent (efficacité de 90 %) un équipement plus ancien (efficacité de 60 %) est une opération qui se rembourse rapidement, d'autant plus si on ajoute une couverture isolante.

Remplacer les pommes de douche conventionnelles par des pommes à faible débit (6 dollars ou plus) dans tous les ménages canadiens éviterait que plus de 7 milliards de kilogrammes de substances équivalentes au CO_2 soient émises chaque année dans l'atmosphère. Certains modèles bas de gamme offrent un débit qui semble trop restreint, mais d'autres offrent un débit tout à fait satisfaisant : c'est une question de conception. Fixer des aérateurs à chaque robinet ne change rien à leur commodité et peut diminuer de moitié la dépense d'eau chaude.

La Fondation québécoise en environnement rappelle les consignes classiques qui font épargner aussi bien l'eau chaude que l'eau en général.

Les consignes pour l'eau de la Fondation québécoise en environnement

Éviter de laisser couler l'eau sans arrêt pendant qu'on se brosse les dents, qu'on se savonne les mains, qu'on se rase, qu'on lave les légumes ou qu'on savonne la voiture.

Garder un pichet d'eau au réfrigérateur plutôt que de faire couler de l'eau froide pour le moindre verre d'eau.

Un robinet qui dégoutte laisse filer entre 60 et 100 litres d'eau par jour. Remplacer les rondelles d'étanchéité défectueuses dès que possible.

Une douche rapide utilise moins d'eau qu'un bain rempli à moitié.

La pression d'eau dans les tuyaux de la maison est souvent très forte. Installer un réducteur de débit d'eau pour la douche et pour l'évier de cuisine.

Une lessiveuse utilise environ 68 litres d'eau par lavage et un lave-vaisselle en consomme jusqu'à 180. Attendre que les appareils soient pleins avant d'en faire l'usage.

Nettoyer l'entrée de cour avec un balai plutôt qu'avec le boyau d'arrosage.

L'installation de thermostats électroniques programmables se paie d'elle-même en quatre ans et souvent moins. Après, c'est tout bénéfice. Réduisez de trois degrés la température durant la nuit et de six, lorsque vous vous absentez régulièrement le jour.

Calfeutrer ou installer des coupe-froid fait épargner de 5 à 10 % des frais de chauffage.

Appliquer une pellicule de plastique sur les vieilles fenêtres en vaut largement la peine.

Les électroménagers

Toute réduction de notre consommation énergétique abaisse la pression sur les producteurs d'énergie nord-américains, donc sur la présence du mercure produit par les centrales thermiques au charbon, surtout celles, hyper polluantes, de l'Ontario et du Midwest américain. Même si le Québec produit une énergie propre, il est pollué par l'air balayé depuis les centrales thermiques de ces régions. Que le Québec partage son énergie plus propre abaisserait le recours à des centrales au charbon polluantes.

Le programme canadien Energy Star offre aussi des recommandations de marques pour les déshumidificateurs, congélateurs, climatiseurs, ventilateurs de plafond et thermostats programmables.

Le symbole Energy Star est d'ailleurs affiché sur les équipements les plus éconergétiques – ceux qui doivent permettre des économies de 10 à 50 %. On trouve les marques recommandées sur Internet (www.energystar.gc.ca) ou au 1 800 622-6232.

Sans devenir rabat-joie et se priver indûment, il est possible d'ajuster peu à peu nos habitudes de vie. Voici d'ailleurs quelques exemples éclairants de coûts d'utilisation, tels qu'évalués par Hydro-Québec.

Les coûts d'utilisation

À chaque utilisation :

une douche moyenne dure sept minutes et coûte 15 cents, le bain, 23 cents ;

le lave-linge au cycle normal coûte, par brassée, 36 cents à l'eau chaude (nécessaire pour éviter le développement des moisissures et des odeurs sur les serviettes), 16 cents à l'eau tiède, 2 cents à l'eau froide ;

la sécheuse opérant durant cinquante-deux minutes au cycle normal coûte 15 cents, et au cycle délicat, 12 cents ;

une charge de lave-vaisselle séchée à l'air chaud coûte 23 cents, à l'air libre, 21 cents.

En moyenne, le coût annuel des gros électroménagers est le suivant :

le réfrigérateur, 52 dollars (dégivrage manuel) et 67 dollars (sans givre) ;
le congélateur, 65 dollars ;
la cuisinière, 35 dollars ;
le four encastré, 24 dollars ;
le déshumidificateur, 24 dollars ;
l'humidificateur, 14 dollars ;
le téléviseur couleur, 24 dollars (pour 3,5 heures d'écoute quotidienne) ;
le chauffe-moteur, 14 dollars sans minuterie et 4 dollars avec ;
le filtre de la piscine sans minuterie, 176 dollars et 102 dollars avec.

Le rangement des déchets dangereux

Prévoyez un abri à l'extérieur de la maison – coffre ou cabanon – pour entreposer peintures, laques et solvants, de même que les déchets dangereux à laisser en passant, une ou deux fois l'an, au centre de récupération local. Assurez-vous que les produits rangés à l'extérieur ne seront pas endommagés par le gel.

Prévoir des espaces de rangement dotés d'un dispositif d'extraction d'air est une autre des cinq recommandations de la SCHL pour protéger notre santé. Cet organisme offre d'ailleurs un guide intitulé *Rénovation de la maison saine* (34,95 $).

La récupération : les réussites et les défis

Les déchets non recyclés rejoignent des dépotoirs qui alimentent la pollution environnementale. Plus encore, l'élimination par enfouissement de matières pouvant être recyclées oblige la fabrication de nouvelles matières semblables, engendrant des dépenses énergétiques et une pollution qui pourraient être évitées.

Intégrer le recyclage à nos habitudes de consommation est au cœur de la révolution environnementale – la révolution bleue –, qui doit nous procurer dès à présent un mode de vie durable, en santé.

Au Québec, en 2002, Recyc-Québec a constaté une hausse de 5,2 % des rebus qui sont récupérés. Dans quelle mesure chaque famille québécoise a-t-elle le pouvoir de changer les choses en gardant un peu plus à l'œil les quelques 165 sacs verts bien remplis qu'elle dépose à la rue chaque année ? Il semble que la bataille soit en train d'être remportée.

Les sociétés – industries, commerces et institutions – produisent près de la moitié des déchets, mais recyclent 57 % des ordures qui peuvent l'être (dites valorisables). C'est bien, mais des progrès sont requis pour atteindre l'objectif de 80 %.

La construction – incluant la démolition et la rénovation – produit un peu moins du tiers des déchets et recycle plus de 60 % de ce qui est valorisable. C'est un bond tout récent et une réussite, puisque son objectif était justement de 60 %.

De leur côté, les résidences familiales produisent un peu moins du tiers des déchets, comme la construction, mais ne recyclent que 26 % de ce qui est valorisable par l'utilisation du bac vert – nous sommes très loin de l'objectif de 60 %. Il y a pourtant une progression, graduelle mais effective.

Certains experts soutiennent que d'ici 2008, alors que s'instaurera la gestion des déchets de table pouvant être compostés, les objectifs seront atteints. En effet, 41 % des déchets résidentiels sont putrescibles, donc compostables – la boîte à pizza en fait partie, mais pas les viandes ni les produits laitiers. Bien organisé, le compostage rencontre l'adhésion de la population là où l'expérience est tentée.

La bataille du recyclage est donc en train d'être gagnée. Chaque geste posé pour augmenter le volume d'articles placés à la récupération participe du combat final contre le non-sens de l'enfouissement, du gaspillage et de la pollution.

Le bac vert

- Créez dans la cuisine un coin récupération aussi accessible que le sac à ordures. Il s'agit d'un changement réel dans l'aménagement de nos cuisines, un changement incontournable pour obtenir, un emballage de plastique et un bouchon de métal à la fois, le monde moins dangereux pour notre santé et la nature que l'on souhaite.
- Gardez à la main le feuillet descriptif fourni par votre municipalité indiquant quels résidus sont à diriger au recyclage, aux déchets dangereux (piles, aérosols, colles, solvants), à la pharmacie (médicaments non utilisés), à la cuvette (rien) ou au sac à ordures. Les consignes varient encore selon les municipalités.
- Fait encourageant, il se crée aujourd'hui sept fois plus d'emplois dans la valorisation des déchets que dans leur élimination.

Notez que l'impression selon laquelle il est plus simple pour tout le monde – éboueurs compris – d'éliminer les déchets putrescibles par le broyeur de l'évier dans la cuisine n'est rien de plus qu'une impression. Le broyeur fait partie du problème, non de la solution.

L'usine de traitement est obligée de séparer ces matières de l'eau, comme elles l'étaient dans notre cuisine, en plus de traiter l'eau contre l'impact organique des bactéries engendrées par ces matières. En attendant l'organisation du compost, il vaut encore mieux placer ces déchets dans le sac vert.

Les couches

Les couches pour bébé forment de 2 à 3 % des déchets résidentiels ; bébé en aura utilisé près d'une tonne avant de partir à la découverte de notre vaste monde. La couche lavable et réutilisable ne fait aucun sens pour les parents d'aujourd'hui, même si elle est idéale pour l'environnement… et recommandée par la Fondation québécoise en environnement. Son utilisation plafonne à 5 % et l'existence de services de lavage n'y change rien, même si le recours à ces services coûte deux fois moins que l'utilisation des couches jetables.

Certes, l'alternative du recyclage pose des problèmes de gestion pas évidents. Mais les couches utilisant une résine de maïs ou une gomme de guar rapidement biodégradables, contrairement au plastique, sont une voie qui semble plus prometteuse. Des fabricants européens et japonais en ont développé.

Appelez les fabricants, Pampers et autres, et affirmez votre désir d'avoir accès à des couches en résine biodégradable certifiées Choix environnemental et qui protègent aussi bien notre santé et notre avenir que les « foufounnes ». Tant que nous n'en ferons pas une priorité, les fabricants n'y consacreront pas leur génie. C'est maintenant que ça se passe. *Viva la revolutione !*

Les piles

Moins de 7 % des 48 millions de piles – rechargeables et non rechargeables – ont été récupérées en 2003. Seulement 5 %

des piles non rechargeables sont récupérées, et 40 % des piles rechargeables. C'est vraiment trop peu. Dans ce domaine, c'est la possibilité de déposer les piles rechargeables (3 % du total) chez les marchands participants qui fait la différence. Il n'existe pas encore de tels programmes pour les piles non rechargeables (97 % du total).

Les piles constituent des résidus domestiques dangereux contenant des métaux – cadmium, mercure, plomb – qui vont alimenter, dans les dépotoirs, la pollution chimique de l'environnement et, éventuellement, celle de nos corps. Au danger s'ajoute le non-sens de dilapider les 85 % de leur masse qui peuvent être recyclés.

Ne placez pas les piles au recyclage mais avec vos déchets dangereux, dans le coffre réservé à cet effet à l'extérieur de la maison. Une ou deux fois l'an, laissez tout ça au centre de récupération indiqué par la municipalité.

Le papier

Il semblerait que 60 % du papier que nous utilisons au Québec se serait retrouvé à l'enfouissement en 2000. Le papier recyclé ne fournit que 22 % de la fibre de papier au Canada, loin derrière la moyenne mondiale de 38 %. Pourtant, chaque tonne de papier recyclé sauve 15 arbres de la coupe, dont 20 % sont consacrés au papier. Notre bac de recyclage étant déjà rempli à plus de 85 % de papier et de carton, il semble que c'est au travail que nous devons prendre l'initiative d'améliorer la récupération, car 75 % des déchets produits par un travailleur sont constitués de papier.

Le prêt-à-jeter

La Fondation québécoise en environnement nous encourage à réduire l'achat des objets qui deviennent inutiles après une seule utilisation, ceux qu'on appelle les prêts-à-jeter. Au Québec seulement, ils représentent chaque année l'équivalent de 100 000 camions à déchets. Il nous faut limiter leur utilisation et tenter de privilégier les articles recyclables. Voici des articles à surveiller et des suggestions.

Les suggestions de substituts aux prêts-à-jeter

- Assiettes en carton ou en polystyrène : assiettes en porcelaine
- Verres ou tasses en plastique : verres en verre ou tasses en porcelaine
- Couverts en plastique : couverts en métal
- Nappes et serviettes en papier : nappes et serviettes en tissu
- Rasoirs jetables : rasoirs réutilisables ou électriques
- Stylos à bille jetables : stylos rechargeables
- Briquets jetables : briquets rechargeables
- Brosses à dents jetables : brosses à dents réutilisables
- Appareils photo jetables : appareils photo réutilisables
- Bâtonnets à café en bois ou en plastique : cuillères
- Piles jetables : prises de courant, piles solaires ou piles rechargeables

Les sacs d'épicerie

Au Québec seulement, il s'utilise environ 2 milliards de sacs d'épicerie par année – 12 tonnes de plastique qui vont s'ajouter aux déchets et qui prennent une éternité à se dégrader. Inutilement. Ils sont recyclables lorsqu'on les regroupe.

Par ailleurs, les sacs d'épicerie qui se dégradent en quinze jours à peine existent. Faits de fécule de maïs, ils sont encore importés d'Europe et coûtent environ 20 sous l'unité, comparé aux 2 sous de la version utilisée actuellement. Il ne s'agit que d'une addition de 2 % du coût pour chaque sac de 10 dollars de provisions. Plusieurs accepteraient cette dépense pour l'environnement. Il est certain que la majorité voudra utiliser les sacs en fécule de maïs lorsqu'ils seront fabriqués ici à grande échelle, à un coût similaire aux autres.

Expliquez aux gérants de vos commerces préférés que vous souhaitez les sacs en maïs. C'est aussi ça, la révolution.

Pour mémoire, on a évalué que chacune des vaches de Delhi trimballe en moyenne 300 sacs de plastique dans son estomac. Vivement le maïs…

La Fondation québécoise en environnement rappelle que les emballages constituent près de la moitié des déchets domestiques. Parmi les habitudes suggérées, on dit d'éviter l'achat d'aliments en portions individuelles et de préférer les formats réguliers. Évitez l'achat d'aliments ou de biens de consommation à emballages multiples et préférez les biens semblables en vrac ou comptant moins de produits d'emballage. Réduire la consommation de sacs de plastique.

Le traitement ignifuge (EDPB) : canapés, sous-tapis, plastiques

À la fin de mai 2003, la Californie votait une loi pour bannir certaines substances ignifuges (ayant la propriété de retarder la combustion d'un produit) de la gamme des EDPB, l'acronyme pour éthers diphényliques polybromés.

Ces substances ont la particularité d'être des polluants organiques persistants (POP) qui s'accumulent avec les autres contaminants chimiques dans l'environnement et dans nos corps autant que les DDT et BPC déjà interdits. Ils sont similaires aux BPC et ont des effets tout aussi puissants.

Les retardateurs visés par ces lois sont surtout utilisés pour éliminer l'inflammabilité de la bourre de fauteuil en mousse de polyuréthane, de divers matériaux de construction et de certains équipements domestiques en plastique. Leur utilité n'est pas mise en doute, mais elle est entravée par leur nocivité et il existe des alternatives. De nouvelles conceptions de produits et l'utilisation de matériaux moins inflammables réduisent leur pertinence.

La Californie prévoit interdire la fabrication et l'utilisation de ces diphényles polybromés à compter de 2008, lançant ainsi un mouvement que les républicains semblent incapables de contrecarrer, malgré leur opposition. L'Europe a déjà banni deux de ces substances, qui demeurent non réglementées en Amérique.

Déjà, de grandes marques de produits ont adopté des mesures de précaution. IKEA a éliminé ces substances de son mobilier, alors que Apple, IBM et d'autres grands fabricants d'électronique les délaissent graduellement.

Une hypothèse pour expliquer le cheminement des EDPB jusque dans nos corps veut qu'ils passent surtout par l'inhalation de particules se détachant de la mousse de polyuréthane (mobilier, sous-tapis). On a aussi constaté que les EDPB se dégagent des plastiques sous forme de poussière pouvant être inhalée.

Les vieux canapés dont la bourre devient apparente et se désagrège seraient la cause de la contamination plus élevée de certaines personnes.

Les études disponibles font ressortir une contamination inégale dans la population. Certaines personnes ont un taux de contamination 10 fois supérieur à d'autres en Amérique même, alors que la contamination des Nord-Américains serait de 10 fois supérieure à celle des Européens, les Britanniques mis à part.

Le principe de précaution devrait nous inciter à éviter l'achat de mobilier contenant de la mousse de polyuréthane traitée au retardateur, et à nous débarrasser du mobilier abîmé dans les lieux de récupération adéquats.

La ventilation

La SCHL encourage l'installation d'un système de ventilation à haute efficacité pour obtenir une meilleure qualité de l'air. Un système de ventilation mécanique central avec filtration et apport d'air extérieur semble rassembler les meilleures conditions pour assainir l'air de nos logis de plus en plus étanches. Évitez les assainisseurs d'air et les désodorisants. La SCHL déconseille aussi les ozoniseurs.

Rappelons qu'il importe de limiter la diffusion des sous-produits du chlore libérés par l'évaporation de l'eau. S'assurer qu'une bonne ventilation soit possible dans la salle de bains au moment des douches préviendra aussi les problèmes d'accumulation d'humidité et de moisissures. Il est aussi sage d'attendre que la vaisselle soit sèche et la vapeur disparue avant d'ouvrir le lave-vaisselle. Et évitez l'utilisation de détergent à lave-vaisselle contenant du blanchisseur javellisant.

Une bonne ventilation au-dessus de la cuisinière évite également qu'une pellicule graisseuse s'accumule sur les surfaces de la cuisine. Bruit et entretien difficile sont les deux motifs pour lesquels la hotte de la cuisinière n'est pas utilisée et nettoyée autant qu'il le faudrait pour diminuer l'entretien de la maison et sa dégradation par l'humidité (voir les recommandations d'achat et d'entretien dans l'analyse de *Protégez-vous* de juillet 2003, p. 26-27 ; www.pv.qc.ca).

Chapitre 6

VÉHICULES

Questions de santé

Le transport est l'un des moyens à notre disposition pour diminuer significativement la contamination de nos corps et ses conséquences pour la santé. Selon une étude récente du *New England Journal of Medicine* (2004), les passagers des véhicules automobiles sont soumis à une pollution 10 fois plus grande que les piétons, une pollution en grande partie issue des tuyaux d'échappement des véhicules qui les précèdent sur la route. Passer trente minutes matin et soir dans la congestion routière équivaut en quelque sorte à s'offrir des mini-sessions journalières à la chambre à gaz. Le principe de précaution s'ajoutant au principe du plaisir, rappelons-nous que les trains de banlieue, au moins, permettent de lire le journal.

Selon les calculs de la Fondation David-Suzuki, chaque année 16 000 Canadiens sont condamnés à une mort précoce (4 000 au Québec, donc) par la pollution de l'air causée en majeure partie par le transport. En octobre 2001, le Québec devenait la troisième province à endosser la campagne Air pur de la fondation, qui n'a rien perdu de sa pertinence. Cette campagne est le prolongement d'un rapport de la fondation qui se donne pour règle d'appuyer ses actions sur des recherches rigoureuses.

Le rapport évalue qu'au Canada 8 milliards de dollars pourraient être épargnés sur vingt ans en soins de santé par l'amélioration de la qualité de l'air. C'est une estimation conservatrice qui ne prend en compte que les effets les plus évidents à ce jour.

Une dizaine de gestes contribuant à la qualité de l'air sont proposés par la campagne Air pur. Ils ne bouleversent rien, ressemblent à du déjà-vu, mais leur impact potentiel les rend toujours pertinents. Ils couvrent aussi bien le transport que le chauffage, les deux facteurs à avoir le plus de conséquences sur la qualité de l'air. Ces gestes ne peuvent se substituer à l'amélioration du rendement des véhicules (abordé plus loin), mais ils permettent d'agir sans tarder.

Comme pour toute pollution chimique, rappelons-nous que les personnes les plus fragiles aux impacts de la pollution de l'air sont nos enfants, y compris les fœtus, les personnes âgées ou atteintes de maladies respiratoires et cardiaques, et enfin les personnes au système immunitaire affaibli.

Dix gestes pour la qualité de l'air

Conduire moins vite réduit la consommation d'essence et les émanations. Plus de la moitié des déplacements se font sur des distances de moins de 5 km. Utilisez d'autres modes de transport – marche, bicyclette, transport en commun, covoiturage.

1. Marchez, circulez à vélo, utilisez les transports publics ou faites du covoiturage.
2. Appuyez les développements urbains qui encouragent les solutions de rechange à l'automobile et réduisent l'impact écologique sur la terre, les plans d'eau et l'atmosphère.

Dix gestes pour la qualité de l'air (suite)

3. Choisissez une voiture petite et moins gourmande et gardez-la en bon état. Les fourgonnettes, les camions et les véhicules utilitaires sont d'une faible efficacité énergétique.
4. Plantez des arbres qui font beaucoup d'ombre, pour rafraîchir votre maison : vous aurez ainsi besoin de moins de climatisation.
5. Chez vous, installez un éclairage efficace, améliorez l'isolation thermique et procurez-vous un appareil de chauffage plus efficace.
6. Ne chauffez pas au bois. N'utilisez le chauffage au bois qu'à des fins récréatives ou en cas d'urgence.
7. L'hiver, réduisez le chauffage et portez des vêtements plus chauds même dans la maison.
8. Manifestez-vous auprès des entreprises de votre région pour les encourager à économiser l'énergie afin de réduire les émissions.
9. Écrivez ou parlez aux fonctionnaires de tous les paliers de gouvernement. Faites-leur part de vos préoccupations au sujet de la pollution atmosphérique et du réchauffement planétaire…
10. Pour en apprendre davantage, appelez votre Direction régionale de la santé publique.

Source : Fondation David-Suzuki :
www.davidsuzuki.org/

Personne ne peut nier le plaisir qu'il y a à circuler au volant de ces gros jouets, sympathiques en soi, que sont les véhicules utilitaires sport (VUS). Malheureusement, un plaisir cancérogène n'est pas vraiment un plaisir ; lui aussi est un cancer. Utilisé couramment à la ville, un véhicule inutilement gros et puissant contribue à transformer nos centres urbains en chambres à gaz à ciel ouvert.

Nous tenons entre nos mains une sorte de bonbonne de smog en aérosol : un coup d'accélérateur pulvérise directement dans l'air de nombreuses substances décrites comme à hauts risques par les organismes environnementaux. Il n'y a qu'à demander à nos aînés comment ils se sentent les jours de smog jaunâtre plus intense. Mais les personnes à la santé plus solide n'en sont pas moins affectées par cette pollution insidieuse qui vient empoisonner nos corps avec des effets croisés prévisibles.

À Montréal, les émissions de polluants aux abords des autoroutes urbaines dépassent de deux à trois fois celles de quartiers plus paisibles, selon les résultats préliminaires d'une étude publiée à l'automne 2003. À Atlanta, aux États-Unis, on a constaté des baisses de consultations pour l'asthme allant de 11 à 44 %, selon les cliniques, durant les quatre semaines qu'ont duré les Jeux olympiques, en 1996, alors que la circulation avait été restreinte au centre-ville.

Au Québec seulement, des frais médicaux annuels de 860 millions en soins pour crises d'asthme et problèmes cardio-respiratoires seraient reliés à l'automobile.

Des chercheurs de l'Université McMaster ont même noté (Hamilton, 2004) une hausse de 18 % du taux de mortalité chez les gens vivant à moins de 50 m d'une autoroute majeure, comme l'autoroute transcanadienne, et à moins de 100 m d'une artère passante. Cette hausse de la mortalité est similaire à celle qui est causée par des maladies comme le diabète et les troubles pulmonaires chroniques. Ces décès n'étaient pas causés par des troubles respiratoires mais par des maladies cardiaques, ce qui confirme que la pollution de l'air par le transport affecte plus le cœur que les poumons.

L'activité physique en milieu urbain et la pollution

La pollution urbaine peut clairement être une source supplémentaire de pollution chimique corporelle pour les adeptes de l'activité physique. Le fait de respirer plus intensément, plus profondément et plus souvent par la bouche augmente l'assimilation des polluants dans l'air.

Même si les bénéfices de l'activité sont supérieurs aux dommages causés par la pollution chimique, les adeptes des sports ne sont pas forcés de s'infliger des maladies respiratoires et cardiaques pour rester en forme. Quelques consignes les protégeront d'une part significative des polluants.

Richard Chevalier, spécialiste de l'activité physique, indique (*La Presse,* « Élan », 18 avril 2004) que l'important est de se protéger des deux sources majeures de pollution, les usines des zones industrielles et la circulation sur les artères majeures. Pour ce faire, le spécialiste suggère ce qui suit au sujet de l'heure et du lieu de l'activité.

Restez à l'écart des raffineries et des odeurs qu'elles dégagent, surtout lorsque le temps est froid et sec.

Restez à l'écart des zones industrielles et des routes à haute circulation les jours ensoleillés, chauds et sans vent.

Dans les centres-villes, entraînez-vous avant 10 heures ou après 19 heures, alors que l'air est moins pollué.

Activez-vous de préférence dans les parcs où abonde la verdure, qui offre un milieu moins pollué.

Bougez de préférence dans le même sens que le vent et non contre lui.

Préférez les jours où les bulletins météo indiquent un faible indice de pollution, et diminuez la longueur et l'intensité de l'activité les jours à indice élevé.

Éliminez les exercices vigoureux par vents forts si vous êtes allergique au pollen, et préférez les jours suivant les périodes de pluie, alors que le pollen est à son plus bas.

Les précautions avec l'automobile

C'est la combustion partielle des carburants fossiles par les véhicules qui est ici en cause. Le camionnage au diesel produit 30 % de la poussière fine en zone urbaine. Les véhicules fonctionnant à la gazoline émettent pour leur part environ 1 million de tonnes de polluants à risque aux États-Unis (25 000 tonnes au Québec), allant du mercure et du plomb au benzène et à l'arsenic – toutes substances clairement reliées à l'apparition de problèmes de santé majeurs.

Force est de constater qu'avec des véhicules à consommation élevée, la vitesse bien commode de nos déplacements se transforme en maladies et en morts prématurées.

À titre personnel, comme le dit un ex-directeur de l'Union of Concerned Scientists, qui est à l'origine du DÉFI Suzuki : « La décision environnementale la plus importante que prennent les consommateurs, et de loin, est leur choix et la façon d'utiliser leur automobile ou camion léger. » Il s'agit aussi d'une décision importante pour la santé.

En octobre 2004, le Canada voyait sa performance environnementale évaluée dans un rapport de l'Organisation de coopération et de développement économique, l'OCDE, qui regroupe 30 pays industrialisés.

Le Canada y est décrit comme un pays fort en gueule – analyses et professions de foi – mais chiche en gestes concrets, une autre façon de décrire cette manière toute canadienne de se cacher derrière la multiplication des rapports afin de donner l'illusion d'agir tout en reportant les échéances.

La contamination chimique de nos corps n'a plus besoin de rapports mais de gestes concrets. Quand l'OCDE constate dans son rapport que « [la] qualité de l'air demeure inacceptable dans de nombreuses régions du Canada », et en particulier dans le corridor Québec-Windsor, elle indique clairement les gestes qui s'imposent.

En somme, le principe de précaution incite à choisir un véhicule moins énergivore, à résider ailleurs qu'aux abords des artères à circulation dense et des stations-service, et enfin à pratiquer les activités physiques hors des heures de pointe.

Il devrait aussi nous inciter à soutenir des poursuites judiciaires contre le gouvernement du Québec pour le forcer à sévir contre les quelque 600 000 automobilistes dont les convertisseurs catalytiques ne fonctionnent pas adéquatement à cause d'un bris ou d'une modification intentionnelle.

À défaut d'un programme d'inspection et d'entretien des véhicules au Québec, les véhicules les plus polluants de l'Ontario – où existe un programme qui les interdit – sont revendus au Québec. L'inaction génère une démultiplication des problèmes.

L'inspection est déjà assurée dans les autres provinces, en réponse aux directives du Conseil canadien des ministres de l'Environnement, qui a fait de cette mesure l'un des piliers du combat contre le smog.

Pour justifier son immobilisme, le gouvernement du Québec soulignait en février 2005 que les véhicules fautifs ne constitueront plus que 18 % des automobiles en 2007 ; que leurs propriétaires ne peuvent souvent défrayer les réparations requises ; que certaines régions n'exigent qu'une partie des réparations avec des bénéfices environnementaux partiels ; enfin, que l'inspection est une mesure onéreuse en termes de ressources.

Le Québec reconnaît pourtant qu'il serait possible d'envisager une assurance destinée à couvrir les coûts de réparation, doublée d'une interdiction de revente, pour les véhicules non conformes, qui en accélérerait le retrait. Envisageons.

Le problème, c'est que les élus semblent ne pas vouloir s'aliéner la clientèle des propriétaires fautifs en obligeant les inspections. C'est malheureux puisque le convertisseur catalytique présente l'avantage significatif de filtrer pas moins de 90 % des émissions nuisibles pour la santé.

La Fondation québécoise en environnement rappelle enfin que les huiles usées contiennent des métaux lourds. Lors de la vidange, évitez de les jeter à la poubelle ou aux égouts, ou encore de les brûler. Apportez-les dans un garage, où un entrepreneur en recyclage les ramassera. Les batteries d'automobile contiennent de l'acide sulfurique et du plomb. Apportez-les aussi dans un garage.

L'effet de serre qui chamboule le climat est principalement causé par le CO_2, un gaz résultant en bonne part de la consommation d'essence. Réduire la consommation de notre véhicule a donc un impact à la fois sur le smog, sur la santé, sur le réchauffement de la planète et sur notre portefeuille. Une aubaine de mieux en mieux chiffrée.

Intére$$ant...

- En 1999, sur un véhicule intermédiaire, une dépense d'entretien de 65 dollars faisait économiser 215 dollars en consommation d'essence et en dépréciation.
- Négliger l'entretien d'un véhicule peut hausser sa consommation d'essence jusqu'à 50 %. Toutes les composantes du moteur contribuent à une combustion efficace ; aussi, ayez recours à des mécaniciens bien formés.
- Deux tiers des automobiles roulent avec au moins un pneu mal gonflé. Un seul pneu auquel il manque 6 lb/po^2 (40 kPa) peut causer une hausse de 3 % de la consommation d'essence et réduire sa durée de vie de 10 000 km. Les pneus se vérifient une fois par mois, à un moment où ils n'ont pas roulé depuis au moins trois heures.
- Ne pas remplacer un filtre à air (25 dollars) quand le temps est venu de le faire peut hausser la consommation d'essence de 10 % (100 dollars par an sur un simple modèle compact).
- Ne pas remplacer des bougies encrassées (de 10 à 80 dollars l'ensemble de quatre bougies) peut hausser la consommation d'essence jusqu'à 30 % (300 dollars l'an).
- Un bouchon de réservoir non étanche (10 dollars à l'état neuf) peut faire perdre de 50 à 100 l d'essence par an en région tempérée comme le Québec, et jusqu'à 300 l en région chaude comme la Floride.

Intére$$ant... (suite)

- À tout moment de l'année, trente secondes suffisent pour que les liquides lubrifient le moteur et pour assurer sa stabilisation ; au ralenti, l'essence ne brûle pas complètement et le moteur s'encrasse alors que les redémarrages fréquents affectent peu la batterie et le démarreur.
- Après dix secondes passées en attente, il s'est brûlé autant d'essence qu'il en faut pour remettre le moteur en marche : prendre l'habitude d'éteindre le moteur quand vous n'êtes pas sur la route.
- Tourner au ralenti pendant cinq minutes de moins par jour épargne 50 l d'essence par an.
- Un chauffe-moteur branché au moins deux heures avant le démarrage sauve 10 % d'essence et accélère le dégivrage des vitres. Une minuterie ou un cordon économiseur sont conseillés.
- Une transmission manuelle à cinq vitesses requiert jusqu'à 15 % moins de carburant qu'une transmission automatique.
- Une mini-fourgonnette qui fait Québec-Montréal (aller-retour) à 100 km/h plutôt qu'à 120 économise 7 l d'essence (20 %).

Source : Association québécoise de lutte contre la pollution atmosphérique (www.aqlpa.com)

Par ailleurs, les normes régulant la consommation des véhicules obligent les fabricants à respecter une consommation moyenne pour leurs produits, donc à fabriquer des véhicules plus efficaces compensant pour les plus gourmands. Sous la pression des fabricants, ces normes n'ont pas progressé depuis 1989. Plus encore, l'échappatoire qui permettait initialement aux camions légers – 15 % des ventes en 1975 – de contourner les normes inclut maintenant les véhicules utilitaires sport. Ensemble, ils représentent 50 % de toutes les ventes. Aujourd'hui, le VUS est ce qui se rapproche le plus de ce qui était autrefois désigné comme un péché mortel.

Les VUS permettent des marges bénéficiaires substantiellement supérieures à celles des plus petites cylindrées. Fabricants et concessionnaires s'opposent donc avec la plus grande vigueur à toute norme plus restrictive de consommation – comme les y forcerait la norme de consommation moyenne des fabricants si la consommation de ces véhicules y était incluse..

Ils s'opposent d'ailleurs pareillement à toute politique incitative qui abaisserait les taxes sur les petites cylindrées. Les acheteurs de petites cylindrées étant très sensibles aux incitatifs monétaires, une telle mesure serait susceptible de remporter un vif succès.

Ces résistances seraient de bonne guerre s'il ne s'agissait pas d'un enjeu de santé publique qui contribue significativement à l'épuisement des ressources du système de santé – en plus d'un enjeu environnemental. Ces résistances relèvent donc plutôt d'une attitude je-m'en-foutiste proche de l'indécence.

Des spécialistes soulignent que, sans recourir à des technologies aussi complexes que le format hybride, il serait possible d'obtenir une consommation moyenne d'un peu moins de 6 l aux 100 km, alors qu'elle atteint en 2004 9,8 l aux 100 km. Ce serait un gain d'environ 40 %.

Certains États américains ont décidé d'emboîter le pas de la Californie, qui a voté à l'automne 2004 des normes obligeant à des réductions de consommation d'essence de 25 à 30 % pour les prochaines années. Selon le gouvernement de la Californie, les épargnes en carburant compenseront les hausses de prix de 1 000 dollars des véhicules.

Le Canada a toujours entériné les normes américaines pour protéger sa propre industrie automobile. Mais pareille politique ne peut plus être justifiée au vu des conséquences mieux connues sur l'environnement et sur nos corps des polluants du smog.

Il est aujourd'hui clair que l'intérêt public commande à tout le moins que le Canada entérine l'initiative californienne et ses normes sur la consommation d'essence. Selon certains, l'adhésion du Canada à la norme californienne serait susceptible de contribuer à la voir adopter par l'ensemble des États-Unis. Belle occasion de faire une différence, pour un pays trop souvent sans grande influence, malgré son importance relative.

Seuls les lobbies et les caisses électorales peuvent expliquer que le Canada ait privilégié jusqu'à ce jour la santé commerciale et industrielle par rapport à la santé publique dans un dossier aux avantages évidents pour la seconde. La nouvelle *Loi régissant le financement des partis politiques,* calquée sur la législation québécoise, nous a délivrés de ce carcan. L'ex-premier ministre Jean Chrétien devait avoir beaucoup à se faire pardonner pour l'avoir défendue contre vents et marées.

En somme, il y a trois repères à garder à l'esprit afin d'adhérer aux principales politiques de précaution concernant les véhicules automobiles : comprendre que la technologie est déjà disponible pour satisfaire à des normes de consommation plus exigeantes, réaliser que des baisses de taxes sur les véhicules moins gourmands en stimulerait la diffusion et reconnaître l'obstruction militante des fabricants et concessionnaires de véhicules à l'égard de l'inclusion de la consommation des véhicules légers et VUS dans les moyennes maximales de consommation imposées aux fabricants.

Au resserrement des normes de consommation des véhicules automobiles doit être ajouté un virage important dans le dossier du transport urbain pour mettre un terme à la congestion routière. Celle-ci doit désormais être considérée comme un enjeu de santé publique, puisqu'elle contribue massivement à la contamination de nos corps par le smog. L'exemple concernant les Jeux olympiques d'Atlanta, qui a vu baisser de 11 à 44 % les seules consultations pour l'asthme dans les cliniques durant les semaines où la circulation avait été restreinte, parle de lui-même.

Mais il y a aussi des bénéfices économiques à la décongestion. Selon des analyses gouvernementales effectuées en 2004, la congestion engendre des coûts voisinant le milliard de dollars pour la seule région métropolitaine de Montréal. Un tel chiffre doit être mis en parallèle avec le coût du transport en commun pour l'ensemble du Québec : 1,1 milliard de dollars.

Cela signifie que chaque dollar dépensé dans le transport en commun pour diminuer la congestion routière nous rend plus riche, d'environ 1,25 dollar ou 1,50 dollar . Un enrichissement qui devrait servir, en partie du moins, à améliorer le système de transport public, de telle sorte que prendre le bus, le métro ou le train de banlieue devienne enfin associé à une expérience d'agrément et non de mortification.

Réduire notre utilisation du véhicule automobile en ville est certes le premier geste significatif que nous encourage à poser le principe de précaution. Comprendre les enjeux de la congestion, son impact aussi bien sur notre santé que sur nos finances, nous incitera à appuyer les nécessaires revalorisations des systèmes de transport urbain, même au prix d'une hausse du coût du carburant, puisqu'une telle hausse nous enrichit sans qu'il soit permis d'en douter.

Le camionnage serait pour sa part responsable d'environ 30 % du smog urbain. On a déjà vu que l'industrie s'oppose au resserrement des normes d'émissions souhaité par la Environmental Protection Agency (EPA)˙. L'industrie pourrait pourtant mobiliser son génie pour développer une foule d'initiatives positives si d'aventure elle prenait le virage du principe de précaution.

À titre d'exemple, la climatisation en temps de canicule et le chauffage par grands froids forcent les camionneurs à laisser tourner leurs engins durant les haltes. Mais aux dires mêmes d'un fabricant, une diminution significative de la consommation de carburant durant les haltes – jusqu'à 30 % – serait possible en recourant à une forme de stockage thermique. De tels propos, une fois reconnu l'impact sévère sur la santé publique du smog généré par le diesel, permettent de voir qu'il serait dès maintenant possible de prendre des mesures pour abaisser significativement la quantité des polluants dans l'air qui agressent nos corps.

Humvee de GM, Touareg de Volkswagen ou Cayenne de Porsche ont la cote d'une certaine clientèle fortunée désireuse de profiter du prestige que confère parfois l'opulence. Pour brillants et doués que sont souvent ces véhicules, ils n'en constituent pas moins une insulte à la civilité, que l'on doit imputer à l'ignorance. En effet, *Gros cerveau, petite Écho...* est une conclusion qui, bien qu'évidente à l'aune du smog urbain, ne semble guère effleurer l'esprit d'une clientèle fortunée qui remplace allègrement limousines et Bentley par de gigantesques 4X4 totalement incongrus en milieu urbain.

En 2004, loin de s'essouffler, le mouvement vers le haut de gamme va toujours croissant, selon les vendeurs d'automobiles. Mais ces consommateurs n'ont-ils pas d'enfants, de parents âgés ou de proches qui sont malades, les personnes les plus fragiles et sensibles aux effets du smog ?

Militons pour des formes d'excentricité qui mettraient à contribution les ressources de cette clientèle aisée au service de véhicules offrant des solutions novatrices aux enjeux de la pollution urbaine. Multiplions les véhicules improbables sur les sentiers de l'exploration éconergétique.

Pour ce qui est du choix d'un véhicule, on peut s'éviter bien des désagréments en consultant le rapport 2004 sur les véhicules les plus fiables, élaboré par le magazine américain *Consumer Reports*.

Le nombre de problèmes rapportés concernant les véhicules européens a baissé de 21 à 20 par tranche de 100 véhicules, de 2002 à 2003. Pendant ce temps, les véhicules américains passaient de 21 à 18 – une nouvelle que l'on n'espérait plus. Loin devant (pour qui aime fréquenter le garage autant que le dentiste), les marques asiatiques ne comptaient que 12 problèmes pour 100 véhicules. Il ne s'agit là que de moyennes, certains véhicules se distinguant davantage dans un sens ou dans l'autre (voir comment accéder aux chiffres du *Consumer Reports* dans la bibliographie).

Il est par ailleurs possible de comparer les cotes de consommation en carburant et les émissions de dioxyde de carbone des automobiles et véhicules légers avec le *Guide de consommation de carburant 2005* publié par le gouvernement fédéral. Il est offert chez les concessionnaires, dans les bureaux d'immatriculation de même que sur Internet, au www.vehicules.qc.ca.

Les avancées technologiques des toutes dernières années permettent de s'offrir aujourd'hui confort, raffinement et quelque chose comme 500 dollars en économies d'essence en préférant une Prius à une Camry d'un coût identique. Il est intéressant d'y regarder de près. Ressources naturelles Canada a accordé aux marques suivantes ses prix ÉnerGuide pour les véhicules les plus éconergétiques. Les encourager envoie un signal clair à l'industrie.

Deux places :	Honda Insight
Sous-compactes (diesel) :	Volkswagen New Beetle TDI
Sous-compactes (essence) :	Toyota Echo Hatchback
Compactes :	Honda Civic Hybrid
Intermédiaires :	Toyota Prius
Grandes berlines :	Chevrolet Malibu Maxx
Familiales (diesel) :	Volkswagen Jetta TDI Wagon
Familiales (essence) :	Pontiac Vibe et Toyota Corolla Matrix
Camionnettes :	Ford Ranger et Mazda B2300
Véhicules spéciaux :	Ford Escape Hybrid
Fourgonnettes :	Honda Odyssey EX-L

Conclusion

L'auteur de ce livre en est venu à s'intéresser au sujet de la pollution dans nos corps avec un préjugé plutôt favorable à l'industrie et à Santé Canada : un préjugé qui n'a pas survécu à quatre années de recherches et d'analyses.

Le roi « chimique » est nu : nos corps sont pollués à les rendre malades de ces troubles qui ruinent notre système de santé. Un coup doit être porté au Canada pour secouer l'inertie qui préside à la gestion des substances chimiques, en particulier, et à celle des séquelles de l'industrialisation, plus généralement.

Il s'agit d'un défi, d'un chantier à portée de main. L'écosanté, la troisième vague de la médecine moderne, est son génie.

La population consentira à l'effort requis par la révolution bleue, pour sa santé et quitte à vivre plus simplement, parce qu'il est impossible de vivre à la fois mieux et malade.

Et puis, comme l'a écrit Paul Éluard : « La terre est bleue comme une orange [...] sur les chemins de ta beauté. » (*L'Amour la poésie*, 1929.)

Bibliographie

Aslett, Don. *No Time to Clean,* Pocatello (IO), Marsh Creek Press, 2000.

Belpomme, Dominique. *Ces maladies créées par l'homme*, Paris, Albin Michel, 2004.

Berthold-Bond, Annie. *Better Basics for the Home,* New York, Three Rivers Press, 1999.

Bredenberg, Jeff. *Clean it Fast Clean it Right,* Emmaus (PA), Rodale Press, 1998.

Bredenberg, Jeff. *1001 trucs et techniques de nettoyage,* Laval, Modus Vivendi, 1999.

Cobb, Linda. *Talking Dirty with the Queen of Clean,* New York, Pocket Books, 1998.

Cobb, Linda. *Talking Dirty with the Queen of Clean,* New York, Pocket Books, 2001.

Côté, Stéphanie. « Bien acheter pour mieux manger. Guide pratique de l'alimentation », *Protégez-vous,* octobre 2004.

Coup de pouce. *Les 500 meilleurs trucs,* Montréal, Éditions Télémédia, 2000.

Doucet Leduc, Hélène. *Échec à la contamination des aliments,* Mont-Royal, Modulo, 1993.

Greenpeace. *Sans laisser de traces. L'écologie au quotidien,* Toronto, Bureau de l'information de Greenpeace, www.greenpeace.ca.

Guérin, Michel *et al. Environnement et santé publique,* Montréal, Édisem, 2003.

Holmes, Hannah. *The Secret Life of Dust. From the Cosmos to the Kitchen Counter, The Big Consequences of Little Things*, New York, John Wiley & Sons, 2001.

Logan, Karen. *Clean House, Clean Planet*, coll. « Pocket Books », New York, Simon & Schuster, 1998.

Sobesky, Janet. *Household Hints for Dummies,* Foster City (CA), IDG Books, 1999.

Steinman, David et Samuel S. Epstein. *The Safe Shopper's Bible,* New York, Macmillan, 1995.

The Pollution Probe Foundation. *The Canadian Green Consumer Guide,* Toronto, McClelland & Stewart, 1989.

Sources

Choix environnemental. Catalogue du seul programme d'écoétiquetage national complet au Canada. Une ressource indispensable pour clarifier les critères complexes du principe de précaution devant régir tant la fabrication et l'utilisation que l'élimination des produits. Le site permet de repérer de nombreuses marques de produits certifiés. Une adresse Internet francophone serait tout de même la bienvenue (www.environmentalchoice.com).

Consumer Reports. Ce magazine américain comportant une section spéciale pour les produits offerts au Canada présente une mine de renseignements sur tous les sujets à propos de la consommation. Il est possible de s'abonner à l'année pour 26 dollars US ou pour un seul mois afin de faire quelques recherches sur Internet (4,95 dollars US). Les consignes générales de choix et d'entretien extraites des tests et présentées ici ne représentent qu'une infime partie de l'information disponible. On peut y obtenir des suggestions de marques pour tous les produits. Mises à jour fréquentes. Il est aussi possible de contribuer à cet organisme sans but lucratif, qui représente un des plus sûrs défenseurs des intérêts des consommateurs face aux grands de l'industrie (www.consumerreports.org).

Environmental Working Group (EWG). Un groupe sérieux et à l'avant-garde de l'incontournable révolution bleue à laquelle doit se soumettre l'industrie chimique sans plus de manœuvres dilatoires. Le travail de précurseur effectué par ce groupe est l'un des piliers majeurs du présent livre (www.ewg.org).

FabricLink. Créateur du *Carpet Stain Index* et du *Upholstery Stain Guide,* tous deux commandités par Solutia Inc., propriétaire de la marque de tapis et de recouvrements de fauteuils Wear-Dated® (www.fabriclink.com/fabriccare.html).

Fondation David-Suzuki Canada. Groupe phare en santé environnementale avec des dossiers qui s'appuient sur la recherche de qualité (www.suzuki.ca).

La Presse. Sections Actualité, Affaires, Environnement, Actuel et Mon toit. Pour de l'information et des références. Le journaliste Charles Côté y fait un travail majeur de déblayage dans sa chronique du lundi sur l'environnement.

Le catalogue Éco-gestion, Ottawa, Cabinet conseil en environnement TerraChoice, vol. 4, nº 1, 2000-2001. Le catalogue officiel des produits et services certifiés Choix environnemental, Éco-Logo.

Colborn, Theo, Dianne Dumanoski et John Peterson Myers. *Our Stolen Future,* New York, Plume/Penguin, 1997. Ouvrage qui présente une information de haut calibre, avec une revue de presse (www.ourstolenfuture.org).

Profusion. Un moteur de recherche permettant de fouiller plus profondément sur Internet (www.profusion.com).

Protégez-vous. Un magazine québécois qui fait un travail extraordinaire de recherche et de diffusion de l'information sur tout ce qui concerne la consommation. Il est possible de s'abonner pour de la consultation sur Internet des dossiers (26 dollars), pour le magazine imprimé (26 dollars) ou pour l'ensemble magazine et consultation Internet (36 dollars). Les consignes générales de choix et d'entretien extraites des tests et présentées ici ne représentent qu'une infime partie des renseignements disponibles. On peut y obtenir des suggestions de marques pour tous les produits. Mises à jour fréquentes. Toute contribution à cet organisme sans but lucratif soutient l'un des plus sûrs défenseurs des intérêts des consommateurs face aux grands de l'industrie.

Trade Secrets with Bill Moyers on PBS. On retrouve les dossiers constitués autour d'une émission phare parrainée par ce courageux chroniqueur qu'est Bill Moyers (www.pbs.org/tradesecrets/).

Index

T

V

Cet ouvrage a été composé en Caslon 10/13 et achevé
d'imprimer au Canada en avril 2005 sur les presses
de Quebecor World Lebonfon, Val-d'Or.